PARAGRAPHES

PRATIQUES DE RÉDACTION

Maria Popica
Isabelle Ste-Marie

Direction de l'édition
Janik Trépanier

Direction de la production
Danielle Latendresse

Direction de la coordination
Rodolphy Courcy

Charge de projet
Monique Pratte

Révision linguistique
Monique Pratte

Correction d'épreuves
Marie Théorêt

Conception et réalisation graphique
Les Studios Artifisme

Remerciements

Les auteures souhaitent remercier de tout cœur leurs familles pour leur soutien précieux.

L'éditeur souhaite remercier les personnes suivantes, qui ont participé à titre de consultantes pédagogiques:

Sarah Bertrand-Savard, chargée de cours à l'Université de Sherbrooke

Karina Da Rocha

Catherine Greffard, professeure au Collège John Abbott

Anne-Hélène Jutras, chargée de cours à l'Université de Montréal

Amélie Lachance, chargée d'enseignement à l'Université Laval

Paragraphes, pratiques de rédaction

© 2014, Les Éditions CEC inc.
9001, boul. Louis-H.-La Fontaine
Anjou (Québec) H1J 2C5

Dépôt légal: 2014
Bibliothèque et Archives nationales du Québec
Bibliothèque et Archives Canada

ISBN 978-2-7617-6767-5

Imprimé au Canada
2 3 4 5 6 23 22 21 20 19

Sources des textes

P. 6 *Le Petit Robert, Dictionnaire alphabétique et analogique de la langue française*, 2014, p. 1487. © Sejer-Dictionnaires Le Robert, 2015.

P. 12 Camus, Albert. *La Peste*, 1947.

P. 22-23 Guillemette, Mélissa. «Patronne et mère, un modèle à inventer», *Magazine Jobboom*, avril 2014, vol. 15, nº 2.

P. 33 Aragon, Louis. *Le roman inachevé*, 1956.

P. 34 Proust, Marcel. *À l'ombre des jeunes filles en fleurs*, 1919.

P. 40 Petrowski, Nathalie. «Le cœur sur la main», dans *La Presse*, 25 juin 2014. © La Presse.

P. 63-64 Fioriti, Joris. *Le «bec-de-lièvre», malédiction des «enfants-sorciers» africains*, Agence France Presse, 2014. © Agence France Presse, 2014.

P. 67-68 Forget, Dominique. «Marquées à vie», dans *Québec Science*, janvier-février 2014, p. 20-21. © Dominique Forget.

P. 73 «Le cerveau des ados, une machine à innover», entrevue avec Daniel J. Siegel (propos recueillis par Nic Ulmi), *Le Temps*, 7 juin 2014. © Le Temps.

P. 75 Diotte, Simon. «Randonnée au Québec: semelles au vent», *L'Actualité*, le 1er juin 2014. © L'Actualité http://www.lactualite.com/sante-et-science/environnement/randonnee-au-quebec-semelles-au-vent/ (consulté le 2 septembre 2014).

P. 76 Alain. *Propos sur le bonheur*, 1926.

P. 79 Deglise, Fabien. «Génération ego», *Le Devoir*, le 4 août 2014. © Le Devoir.

P. 82 Corniou, Marine. «Le futur fait bonne impression», dans *Québec Science*, mars 2014, p. 18-22. © Marine Corniou.

P. 83 Hainey, Paul. *Pourquoi les vaches ne peuvent-elles pas descendre les escaliers?*, EDP Sciences. © EDP Sciences.

P. 84 Corniou, Marine. «Le futur fait bonne impression», dans *Québec Science*, mars 2014, p. 18-22. © Marine Corniou.

P. 84-85 Guillemette, Mélissa. «Patronne et mère, un modèle à inventer», *Magazine Jobboom*, avril 2014, vol. 15, nº 2.

P. 87 Corniou, Marine. «Le futur fait bonne impression», dans *Québec Science*, mars 2014, p. 18-22. © Marine Corniou.

P. 88 Gruhier, Fabien. «D'étonnantes propriétés», *Québec Science*, mars 2013, p. 41. © Fabien Gruhier.

P. 89 Texte inspiré de l'article de Lanthier, Christine. «Énergie renouvelable», *Magazine Jobboom*, avril 2014, vol. 15, nº 2, p. 29.

P. 94-95 Vailles, Francis, «Perdu dans le bois avec 12 ados», *La Presse*, 19 juillet 2014. © La Presse http://affaires.lapresse.ca/opinions/chroniques/francis-vailles/201407/19/01-4785144-perdu-dans-le-bois-avec-12-ados.php (consulté le 20 juillet 2014).

P. 96 Baudelaire, Charles. *Le Spleen de Paris*, 1869.

P. 97 Thúy, Kim. *Ru*, Montréal, Libre Expression, p. 20-21, p. 89. Reproduit avec l'autorisation de l'éditeur.

P. 98 Prévert, Jacques. «Cet amour», *Paroles*, Paris, Gallimard, 1949, p. 140-142. © Gallimard et Fatras/Succession Jacques Prévert pour les droits numériques.

P. 100 Céline, Louis-Ferdinand. *Voyage au bout de la nuit*, 1952. Thúy, Kim. *Man*, Montréal, Libre Expression, p. 89. Reproduit avec l'autorisation de l'éditeur.

P. 101 Alain. *Propos sur le bonheur*, 1926.

P. 102 Broglie, Louis de. *Physique et Microphysique*, Paris, Albin Michel, 1947. © Albin Michel.

P. 105 Brown, Fredric. *Fantômes et farfouilles*, Paris, Denoël, 1963. © Éditions Denoël, 1963 pour la traduction française.

P. 106 Zola, Émile. *Voyage circulaire*, 1884. Beauchemin, Yves. *Le Matou*, Éditions Québec Amérique, 2002, p. 11-12. © Yves Beauchemin.

P. 110 Thomas, Louis C. *Sans espoir de retour*, Éd. du Masque, 1995. © Éditions du Masque. Leclerc, Félix. *Adagio*, Fides, 1976. © Succession Félix Leclerc.

P. 111 Brown, Fredric. *Fantômes et farfouilles*, Paris, Denoël, 1963. © Éditions Denoël, 1963 pour la traduction française.

P. 112 Camus, Albert. *L'Envers et l'Endroit*, 1937.

P. 113-114 Queneau, Raymond. *Exercices de style*, 1947.

P. 114 Texte adapté de Senécal, Patrick. *L'Étranger*. © Patrick Senécal.

P. 115 Carrière, Jean-Claude. *Le cercle des menteurs. Contes philosophiques du monde entier*, Paris, Plon, 1998. © édi8.

P. 127 Vailles, Francis. «De bonnes nouvelles sur le décrochage scolaire», *La Presse*, 27 mai 2013. © La Presse.

P. 133-136 Siag, Jean. «Les aiguilles et l'opium: risques de dépendance», *La Presse*, 10 mai 2014. © La Presse. Cassivi, Marc. «Louis Cyr: Le champion tant attendu», *La Presse*, 9 juillet 2013. © La Presse.

P. 138-139 Houde, François. «Dérapages: l'émotion avant la morale», *Le Nouvelliste*, 28 avril 2012. © Nouvelliste.

AVANT-**propos**

Il était une feuille avec ses lignes
Ligne de vie
Ligne de chance
Ligne de cœur

Robert Desnos, « Il était une feuille », *Fortunes*, Gallimard, 1969.

À la fois outil d'enseignement et cahier d'apprentissage, *Paragraphes* est un ouvrage visant à améliorer les compétences rédactionnelles des apprenants de français langue seconde des niveaux intermédiaire ou avancé.

Le but de cet ouvrage est de fournir aux apprenants des notions théoriques et des techniques efficaces de planification, de rédaction et de révision des divers types de textes qu'ils seront appelés à produire durant leur parcours scolaire ou professionnel. Pour ce faire, il offre :

- des notions théoriques accompagnées d'exercices d'amélioration du vocabulaire et de la structure des phrases ;
- des techniques de rédaction de différents types de textes ;
- des stratégies de révision et de correction d'un texte ;
- des exercices de rédaction variés et d'un niveau de difficulté graduel à l'intérieur de chaque chapitre ;
- des stratégies de recherche documentaire et de compréhension de texte ;
- des exercices interactifs autocorrigés et des notions complémentaires disponibles en ligne sur maZoneCEC.

L'ouvrage est divisé en deux grandes parties :

La première partie, *Notions d'écriture*, offre un condensé des connaissances essentielles à l'amélioration du vocabulaire, de la phrase et du texte et présente ainsi les synonymes, les antonymes, les homonymes, les barbarismes, les anglicismes, les procédés de reprise de l'information ou de mise en relief, d'allègement ou d'enrichissement de la phrase, la concordance des temps, les marqueurs de relation, etc. Chaque notion théorique est illustrée de nombreux exemples et accompagnée d'exercices variés.

La seconde partie de l'ouvrage, *La rédaction*, propose une exploration théorique et pratique de divers types de textes que les étudiants auront un jour à rédiger : le résumé, le texte informatif, le texte expressif, le texte narratif, le texte argumentatif, le compte rendu critique et la dissertation explicative. Les caractéristiques de chaque type de texte sont suivies de techniques de planification et de rédaction illustrées d'exemples, de même que d'une foule d'exercices de rédaction.

Enfin, des *Annexes* présentant des stratégies d'amélioration de l'orthographe, de révision et de correction d'un texte, de recherche documentaire ainsi que les règles liées aux citations viennent compléter l'ouvrage.

Se prêtant à un usage non linéaire, en fonction des besoins d'enseignement ou d'apprentissage, *Paragraphes* peut facilement être adapté à toute démarche pédagogique et servir à l'usage autonome de l'apprenant de français langue seconde.

TABLE des **matières**

PARTIE 2 LA RÉDACTION

PARTIE 1

NOTIONS D'ÉCRITURE

CHAPITRE 1

AMÉLIORER son **vocabulaire**

Les familles de mots

Une famille de mots est un ensemble de mots (nom, verbe, adjectif et adverbe) formés par dérivation (à l'aide de suffixes ou de préfixes) ou par composition, à partir d'un mot de base (radical).

Exemple :
affirmation (nom) / affirmer (verbe) / affirmatif (adjectif) / affirmativement (adverbe)

Pour faire partie d'une même famille, les mots doivent être apparentés tant par la forme que par le sens. Dans certaines familles de mots, les mots dérivés peuvent avoir une forme légèrement différente du mot de base.

Exemples :
fleur (nom) / floral (adjectif)
lait (nom) / lacté (adjectif)
règle (nom) / régler (verbe)

Il y a des mots qui n'ont pas de famille.

Exemples :
fauteuil, feu, etc.

L'importance des familles de mots

En situation de lecture et d'écriture, reconnaitre les familles de mots peut être utile à plusieurs égards.

1 Le sens d'un mot

Déterminer le radical qui est à l'origine d'une famille de mots peut aider à comprendre le sens d'un mot inconnu.

Exemple :
Le **fouettement** de la pluie sur les vitres le rendait craintif.
Trouver le radical ***fouet*** peut aider à comprendre le sens du mot ***fouettement***, qui est « action de fouetter ».

2 L'orthographe d'un mot

Déterminer le radical qui est à l'origine d'une famille de mots peut aider à écrire un mot correctement.

Exemple :
Le **rafraichissement** de la température fait penser à l'automne.
Trouver le radical ***fraich-*** présent dans les mots ***fraiche, fraicheur, fraichir, (se) rafraichir*** peut aider à écrire correctement le mot ***rafraichissement***.

3 Une expression plus variée

Utiliser les mots dérivés d'une même famille permet de varier l'expression dans les phrases.

Exemples :
- J'ai toujours apprécié qu'il soit **généreux**.
  J'ai toujours apprécié sa **générosité**.

- Cette machine peut être **réglée** facilement.
  Cette machine est facilement **réglable**.
- Tu as commencé la **lecture** de ce roman il y a deux jours et tu l'as déjà terminé.
  Tu as commencé à **lire** ce roman il y a deux jours et tu l'as déjà terminé.
- Elle m'écoute avec **attention** quand je lui adresse la parole.
  Elle m'écoute **attentivement** quand je lui adresse la parole.

4 La reprise de l'information

Recourir à une famille de mots permet la reprise de l'information. Cela contribue à la cohérence d'un texte, tous les mots de la famille étant liés à l'idée principale.

Chapitre 2 p. 42

Exemples :

Myriam est **courageuse** dans toutes les actions qu'elle entreprend. Son **courage** lui a servi dans plusieurs situations délicates.

La chaleur brusque a fait **fondre** une grande quantité de neige. Cette **fonte** a causé des inondations importantes dans la région.

Note : Le nom utilisé dans la reprise est généralement introduit par un déterminant défini, démonstratif ou possessif.

exercices

1 Complétez le tableau suivant à l'aide de mots de la même famille.

NOM	VERBE	ADJECTIF	ADVERBE
	accueillir		
hâte			
		horrifique, horrible, horrifiant/e	
obscurité, obscurcissement			
			abstraitement
	signifier		

2 Pour chacune des classes de mots indiquées, écrivez quatre mots appartenant à la famille du mot *longueur*.

NOM	ADJECTIF	VERBE	ADVERBE
______	______	______	______
______	______	______	______
______	______	______	______
______	______	______	______

3 **À l'aide d'un nom de la même famille que les mots écrits en gras, reprenez l'information de la première phrase dans la deuxième phrase.**

a) Leur travail a été très **apprécié** par le public lors de la dernière présentation.

Cette ______________________ les encourage à multiplier leurs efforts pour réaliser ce vieux rêve.

b) Dernièrement, l'intérêt pour la recherche **a augmenté** chez les étudiants.

Cette ______________________ s'explique en partie par l'essor des nouvelles technologies.

c) Pour des soucis d'équité, la participation à ce concours sera bientôt **règlementée**.

Le jury espère que la ______________________ attirera un plus grand nombre de participants.

d) La décision du tribunal, selon laquelle il allait tout perdre, l'**affola**.

Son ______________________, jugé excessif par les autorités, lui attira d'autres ennuis.

e) Par sa manière d'interpréter son rôle, ce comédien a réussi à **émouvoir** les spectateurs.

Cette ______________________ profonde les a longtemps accompagnés.

4 **Pour chaque mot écrit en gras dans le texte suivant, trouvez au moins quatre mots de la même famille.**

Avec plus de 2500 heures d'**ensoleillement** par année et une température moyenne de 25 degrés Celsius, cette région vous **promet** un séjour sous le signe de la douceur méditerranéenne. Nombreuses sont les compagnies **locales** qui offrent leurs services afin de vous faire découvrir cette perle géographique. On peut y **pratiquer** la randonnée pédestre au cœur des vallées sauvages, mais aussi y faire du canoë jusqu'au pied d'impressionnantes cascades.

a) ensoleillement

____

b) promet (du verbe *promettre*)

____

c) locales

____

d) pratiquer

____

Les synonymes

Les synonymes sont des mots qui appartiennent à la même classe grammaticale ou des expressions qui, dans un contexte donné, ont à peu près le même sens.

Exemple : Ce voyage est vraiment **cher**. = Ce voyage est vraiment **couteux**.

Un mot peut avoir plusieurs synonymes.

Exemple : maison = bâtiment, chez-soi, demeure, domicile, édifice, immeuble, foyer, logement, résidence, etc.
Nous habitons à quelques pâtés de **maisons** de la Gare centrale.
Plusieurs vieux **bâtiments** ont été démolis pour construire ce stade.
Après six mois de recherches, ils ont déménagé ; ils ont enfin leur **chez-soi**.
Il régnait toujours une ambiance de paix dans la **demeure** de mes grands-parents.
J'ai changé de **domicile** plusieurs fois dans ma vie.
L'**édifice** de la Bibliothèque nationale était devenu une grande attraction pour les touristes.
Cet **immeuble** abrite le siège social de plusieurs sociétés informatiques.
On rêve de traverser le monde, mais on finit par rentrer au **foyer**.
Ils habitent un **logement** de sept pièces.
Mon frère nous a invités à passer trois jours à sa **résidence** d'été, au bord du lac.

Si un mot a plusieurs sens, il y aura des synonymes pour chacun de ses sens.

Exemple :

Exécuter 1. Exécuter une tâche, un projet = accomplir, effectuer, réaliser
2. Exécuter une œuvre musicale = interpréter, jouer
3. Exécuter un condamné = décapiter, guillotiner, fusiller, électrocuter, gazer, pendre

Faire la distinction entre les synonymes

La plupart des mots n'ont pas de synonymes parfaits. Trois éléments peuvent distinguer l'un ou l'autre de leurs synonymes :

1. Le sens
2. Le registre de langue
3. La construction grammaticale

1 Deux synonymes peuvent avoir des **sens** différents.

Exemples :

- Les mots ***chemin*** et ***sentier*** ont des sens qui se distinguent par la précision : ***chemin*** signifie « voie de communication d'intérêt local » ou encore « parcours, direction », tandis que ***sentier*** signifie « chemin étroit à l'intention des piétons ».
- Les mots ***peur*** et ***crainte*** ont des sens qui se distinguent par l'intensité, le sentiment de peur étant plus violent que le sentiment de crainte.

2 Deux synonymes peuvent appartenir à des **registres de langue** différents.

Exemples :

- Les mots ***importuner*** et ***indisposer*** appartiennent au registre **soutenu**.
- Les mots ***ennuyer, déranger*** et ***gêner*** appartiennent au registre **standard**.
- Les mots ***embêter, emmerder*** et ***chicoter*** appartiennent au registre **familier**.

3 Deux synonymes peuvent exiger des **constructions grammaticales** différentes.

Exemples :

- Nous avons **abandonné** l'idée de voyager ensemble. (Le verbe *abandonner* exige un complément sans préposition.)
- Nous avons **renoncé** à l'idée de voyager ensemble. (Le verbe *renoncer* exige un complément introduit par la préposition *à*.)
- Tu **as promis** de remettre ton projet de recherche à temps. (Le verbe *promettre* exige un complément introduit par la préposition *de*.)
- Tu t'**es engagé** à remettre ton projet de recherche à temps. (Le verbe *s'engager* exige un complément introduit par la préposition *à*.)

Le rôle des synonymes

Les synonymes peuvent jouer plusieurs rôles dans un texte.

1 Éviter les répétitions.

Exemple :

Lorsqu'il arriva devant le chantier, la **peur** le saisit. Un **effroi** inexplicable, parce qu'il avait escaladé ce mur à plusieurs reprises.

2 Donner plus de précision au propos.

Exemple :

Le notaire reçoit ses clients dans son **étude** et le directeur financier les reçoit dans son **bureau**. Le médecin, lui, accueille ses patients dans son **cabinet**.

3 Éviter les mots vagues.

Exemples :

- Ce projet est **mis** au second plan, il y en a un autre qui est prioritaire.
  Ce projet est **relégué** au second plan, il y en a un autre qui est prioritaire.
- Dans cet immeuble, **il y a** les archives.
  Dans cet immeuble **sont conservées** les archives.
- Sur le visage de la jeune femme, **il y a** une grande joie.
  Sur le visage de la jeune femme **rayonne** une grande joie.

4 Nuancer l'idée que l'on veut exprimer.

Exemple :

J'adore les toiles de ce peintre, qui est capable de saisir les moindres détails des physionomies humaines ; il est vraiment **talentueux**, **génial** même.

5 Donner de l'intensité au propos.

Exemple :

Il céda à la **peur**, à l'**effroi**, à l'**épouvante**, devant un tel spectacle.

Le choix du bon synonyme

Pour bien choisir le synonyme d'un mot et s'assurer **qu'il correspond au contexte**, il faut consulter un dictionnaire général ou un dictionnaire de synonymes.

Dans les dictionnaires généraux, les synonymes peuvent être présentés de trois manières : en gras, précédés du symbole =, ou au moyen de l'abréviation *syn.*, placée après la définition de chaque sens. En général, on indique aussi entre parenthèses le registre de langue auquel appartient le synonyme proposé (*fam.*, *pop.*, etc.).

Un bon dictionnaire de synonymes explique et exemplifie les différences de sens, le registre de langue et les constructions grammaticales exigées.

Au Québec, *Le Grand Druide des synonymes,* publié chez Québec Amérique, représente une ressource très utile.

Il faut éviter de prendre un synonyme au hasard dans la liste proposée par le dictionnaire. Le choix du synonyme correspondant à un contexte donné se fait seulement après avoir lu attentivement les définitions de tous les sens ainsi que les exemples qui les illustrent.

Exemple d'article de dictionnaire général :

LUCIDE [lysid] **adj.** – 1478 ✧ latin *lucidus* « clair, lumineux » ■ **1** VX OU POÉT. Clair, lumineux. ➤ **translucide.** *Le faîte « découpe dans l'air lucide sa frise »* CLAUDEL. ■ **2** (1690) MOD. Caractérisé par la raison saine et claire. *Fou, dément qui a des intervalles, des moments lucides,* durant lesquels il retrouve sa raison (cf. Moments de lucidité*). ◆ (PERSONNES) Conscient. *Il est revenu de son évanouissement, mais il n'est pas encore entièrement lucide* (cf. Avoir toutes ses idées*, toute sa tête*). ■ **3** (1802) COUR. Qui perçoit, comprend, exprime les choses (notamment celles qui le ou la concernent) avec clarté, perspicacité. *Esprit, intelligence lucide.* ➤ **clair, clairvoyant, pénétrant, perspicace.** *Thiers « a cette clarté qui fait plaisir à l'esprit, il est lucide »* SAINTE-BEUVE. *Juger d'un œil lucide,* sans passion. *Raisonnement lucide.* ➤ 2 **net.** ◆ Clairvoyant sur lui-même, sur son propre comportement. ■ **CONTR.** Fou, inconscient ; aveugle.

Source : *Le Petit Robert, Dictionnaire alphabétique et analogique de la langue française*, 2014, p. 1487.

exercices

❶ **Groupez les mots suivants en les associant selon leur sens.**

édifice • travail • maison • boulot • entreprise • occupation • service • tâche • construction • immeuble • ouvrage • poste • demeure • domicile métier • gagne-pain • habitation • logement • résidence • ménage • profession

___

___

❷ **Biffez les quatre intrus dans la liste suivante.**

transporter • sortir • jaillir • conduire • déplacer • indiquer • déménager • apporter • livrer • trimbaler • véhiculer • écarter

❸ **Faites des phrases avec chacun des huit synonymes de la liste de la question 2.**

___

___

___

___

___

___

___

___

❹ **À l'aide d'un bon dictionnaire, donnez la définition de chacun des synonymes suivants.**

a) Âgé (adj.) : ___

Vieux (adj.) : ___

b) But (n. m.) : ___

Objectif (n. m.) : ___

c) Malade (n. m.) : ___

Patient (n. m.) : ___

d) Couteux (adj.) : ___

Dispendieux (adj.) : ___

Onéreux (adj.) : ___

e) Diète (n. f.) : ___

Jeûne (n. m.) : ___

Régime (n. m.) : ___

f) Journal (n. m.) : ___

Magazine (n. m.) : ___

Revue (n. f.) : ___

5 Trouvez quatre synonymes à chacun des mots suivants.

a) Couper : ____________________

b) Difficulté : ____________________

c) Emploi : ____________________

d) Habitation : ____________________

e) Incident : ____________________

f) Maintenant : ____________________

g) Rester : ____________________

h) Secondaire : ____________________

6 Remplacez le verbe *faire* ou les expressions formées à l'aide de ce verbe par un verbe plus précis.

a) Picasso **a fait** ____________________ des tableaux abstraits intéressants.

b) C'est Michel-Ange qui **a fait** ____________________ le célèbre David, une statue exposée à Florence.

c) Cette couturière **fait** ____________________ de très belles robes.

d) Ma copine **fait** ____________________ des poèmes très expressifs.

e) Julie **fait** ____________________ de la peine à ses parents par son indifférence.

f) Dans notre cours de mathématiques, nous **faisons** ____________________ rapidement des calculs mentaux.

g) Sans **faire** ____________________ des efforts, on ne peut rien accomplir.

h) Il **s'est fait** ____________________ un chemin jusqu'à la scène.

7 Remplacez le verbe *avoir* par un verbe plus précis dans la liste suivante.

bénéficier de • exercer • nécessiter • subir • jouir de • posséder • recevoir • occuper • nourrir • éprouver • témoigner de

a) **Avoir** un bon poste ____________________

b) **Avoir** des difficultés ____________________

c) **Avoir** une récompense ____________________

d) **Avoir** de la haine ____________________

e) **Avoir** du succès ____________________

f) **Avoir** de l'influence ____________________

g) **Avoir** une maison ____________________

h) **Avoir** des revers de fortune ____________________

i) **Avoir** de bons avantages sociaux ____________________

j) **Avoir** besoin de réparations ____________________

k) **Avoir** de la reconnaissance ____________________

8 Remplacez le verbe *mettre* par un verbe plus précis dans la liste suivante.

déposer • apposer • appliquer • enfiler • reléguer • disposer • introduire • ranger

a) **Mettre** ses idées sur papier ____________________

b) **Mettre** sa voiture dans le garage ____________________

c) **Mettre** sa signature sur un document ____________________

d) **Mettre** un projet au second plan ____________________

e) **Mettre** un pantalon ____________________

f) **Mettre** la clé dans la serrure ____________________

g) **Mettre** de l'argent dans un compte ____________________

h) **Mettre** une couche de peinture ____________________

9 **Remplacez le verbe *donner* par un verbe plus précis dans la liste suivante.**

communiquer • remettre • accorder • confier • offrir • fournir • allouer • prodiguer • invoquer

a) **Donner** un chèque ____________________

b) **Donner** des conseils ____________________

c) **Donner** un prétexte ____________________

d) **Donner** du temps ____________________

e) **Donner** une preuve ____________________

f) **Donner** une augmentation ____________________

g) **Donner** une récompense ____________________

h) **Donner** une mission ____________________

i) **Donner** des informations ____________________

10 **Remplacez le verbe *dire* par un verbe plus précis dans la liste suivante.**

proférer • dévoiler • expliquer • exposer • répéter • communiquer • prétendre • avouer • exprimer

a) Elle ne **dit** ____________________ jamais ses secrets à ses amis.

b) Avant d'aller en stage, notre superviseur nous **a dit** ____________________ rapidement la situation sur le terrain.

c) Ma sœur **dit** ____________________ qu'elle a toujours raison.

d) Je ne suis pas capable de **dire** ____________________ ce que je ressens.

e) Notre directeur nous **a dit** ____________________ ses projets à la réunion d'hier.

f) J'**ai** pourtant **dit** ____________________ que j'avais commis une erreur.

g) Cela fait dix fois que je te **dis** ____________________ de reprendre ton travail.

h) Vous devez **dire** ____________________ à vos coéquipiers ce qu'ils doivent faire.

i) Après le match, Marc a commencé à **dire** ____________________ des injures.

11 **En tenant compte du contexte, remplacez les mots entre parenthèses par un synonyme approprié.**

C'est une idée (communément) ____________________ (admise) ____________________ que les adolescents ont besoin de (se distinguer) ____________________ . Même si (cette attitude) ____________________ (altère) ____________________ parfois leurs (relations) ____________________ avec les autres, (cette nécessité) ____________________ est important(e) pour leur (développement) ____________________ personnel.

12 **Remplacez le verbe souligné par celui qui est entre parenthèses en faisant les transformations nécessaires dans la phrase. Attention aux prépositions !**

a) Le professeur n'<u>autorise</u> pas ses étudiants à utiliser le dictionnaire électronique durant l'examen. (permettre)

____

b) Le moniteur d'escalade <u>a annoncé</u> à ses supérieurs son intention de participer à la compétition avec son groupe. (informer)

____

c) Avec de l'effort, on <u>arrive</u> toujours à son but. (atteindre)

____

d) <u>Te rappelles</u>-tu la dernière fois que nous sommes allés au cinéma ensemble ? (se souvenir)

____

e) Je <u>me sers d'</u>un dictionnaire de synonymes pour varier mon vocabulaire. (utiliser)

___

f) Le pilote <u>a tenté d'</u>entrer en communication avec la tour de contrôle. (chercher)

___

g) Sandrine vient d'<u>épouser</u> un ancien camarade de classe. (se marier)

___

13 En tenant compte du contexte, remplacez les mots entre parenthèses par des synonymes appropriés.

Tout de suite, Jacques sentit que l'état de la voie changeait. Ce n'était plus la plaine, le déroulement à l'infini de l'épais tapis de neige, où la machine (filait) ______ comme un paquebot, laissant (un sillage) ______. On entrait dans le pays (tourmenté) ______, les côtes et les vallons dont la houle (énorme) ______ allait jusqu'à Malaunay, (bossuant) ______ le sol ; et la neige s'était (amassée) ______ là d'une façon irrégulière, la voie se trouvait déblayée par places, tandis que des masses (considérables) ______ avaient (bouché) ______ certains passages. Le vent, qui balayait les remblais, comblait au contraire les tranchées. C'était ainsi une continuelle (succession) ______ d'obstacles à (franchir) ______, des (bouts) ______ de voie libre que barraient de véritables (remparts) ______. Il faisait plein jour maintenant, et (la contrée) ______ (dévasté(e)) ______, ces gorges étroites, ces pentes (raides) ______, prenaient, sous leur couche de neige, la désolation d'un océan de glace, immobilisé dans (la tourmente) ______.

Émile Zola, *La bête humaine*

Les antonymes

Les antonymes sont des mots (appartenant à la même classe de mots) ou des expressions qui, dans un contexte donné, ont des sens opposés.

Exemples : monter ⟷ descendre vendre ⟷ acheter sympathique ⟷ antipathique

Les antonymes peuvent être des mots qui ont des formes complètement différentes.

Exemples : chaleur ⟷ froideur clair ⟷ obscur entrer ⟷ sortir

Les antonymes peuvent aussi être formés du même radical auquel on ajoute ou enlève un préfixe de sens négatif.

Exemples :

normal ⟷ **a**normal
compétent ⟷ **in**compétent
mortel ⟷ **im**mortel
légitime ⟷ **il**légitime
responsable ⟷ **ir**responsable
honnête ⟷ **mal**honnête
content ⟷ **mé**content
boiser ⟷ **dé**boiser
ordre ⟷ **dés**ordre
continu ⟷ **dis**continu
estimer ⟷ **sous**-estimer
violence ⟷ **non**-violence

Si le mot a plusieurs sens, il aura des antonymes pour chacun de ses sens, en fonction du contexte.

Exemple : l'adjectif *vide*

Un dossier vide ⟷ un dossier **plein, rempli**

Un stationnement vide ⟷ un stationnement **complet, plein, rempli**

Un autobus vide ⟷ un autobus **bondé, plein, complet, rempli**

Une maison vide ⟷ une maison **habitée, occupée**

Une chambre vide ⟷ une chambre **décorée, ornée, meublée**

Une ville vide ⟷ une ville **habitée, peuplée, surpeuplée**

Un regard vide ⟷ un regard **expressif**

Des propos vides ⟷ des propos **captivants, intéressants, passionnants**

Une tête vide d'idées ⟷ une tête **bourrée, pleine** d'idées

Une existence vide ⟷ une existence **significative**

Le rôle des antonymes

Les antonymes peuvent jouer plusieurs rôles dans un texte.

1 Créer un effet de contraste qui donne de l'expressivité au texte.

Exemple :

« Je n'ai jamais vu un **enfant** sans penser qu'il deviendrait **vieillard**, ni un **berceau** sans songer à une **tombe**. » (Flaubert)

2 Éviter les répétitions d'un même mot.

Exemple :

Camille est toujours **sévère** avec ses étudiants ; au contraire, David est toujours **indulgent** (au lieu de David **n'est pas sévère**).

3 Assurer la reprise de l'information d'une phrase à l'autre.

Exemple :

Ce technicien montre une absence totale de **chaleur** dans ses relations avec les clients. Cette **froideur** a été signalée dans plusieurs rapports.

4 Donner de l'expressivité au texte en mettant un antonyme dans une phrase négative.

Exemple :

Il n'est pas **irresponsable** (pour dire qu'il est **responsable**).

Le choix du bon antonyme

Pour bien choisir l'antonyme d'un mot et s'assurer **qu'il correspond au contexte**, il faut consulter un dictionnaire général ou un dictionnaire d'antonymes.

Les dictionnaires généraux présentent les antonymes à la fin de l'article ou encore à l'intérieur de celui-ci, après la définition de chaque sens. Ceux-ci sont précédés par l'abréviation *ant.* (antonyme) ou *contr.* (contraire).

Il faut éviter de prendre un antonyme au hasard dans la liste proposée par le dictionnaire. Le choix d'un antonyme correspondant à un contexte donné se fait seulement après avoir lu attentivement les définitions de tous les sens ainsi que les exemples qui les illustrent.

Le choix d'un antonyme peut donner lieu à des changements grammaticaux dans la phrase.

Exemple :

Il **les a forcés à** partir.

Il **leur a permis de** partir.

exercices

1 Formez l'antonyme des mots suivants en leur ajoutant un préfixe.

a) juste ______________

b) content ______________

c) réaliste ______________

d) accord ______________

e) symétrique ______________

f) existant ______________

g) commode ______________

h) équilibre ______________

2 Cochez la bonne réponse.

a) **Dépasser** est le contraire de :

- [ ] économiser
- [ ] être en retrait
- [ ] passer

b) **Démêler** est le contraire de :

- [ ] trier
- [ ] soumettre
- [ ] brouiller

c) **Démentir** est le contraire de :

- [ ] mentir
- [ ] affirmer
- [ ] rejeter

d) **Déménager** est le contraire de :

- [ ] ménager
- [ ] emporter
- [ ] emménager

3 Karim et Tristan sont comme le jour et la nuit. À partir du portrait de Karim ci-dessous, faites le portrait de Tristan, sachant qu'il est le contraire de son ami Karim.

Karim est **petit** et **rapide**, et il joue au basketball **souvent**. C'est le **meilleur** joueur de son équipe parce qu'il est **généreux**, **loyal** et **sympathique** avec ses coéquipiers. D'habitude **volubile**, ses amis l'**adorent** quand il se met à chanter après les matchs, car il a une voix **forte** et **expressive**. Malgré ces **qualités** qui le rendent **agréable**, Karim sait aussi être **impoli**, **injuste**, **indifférent** et **indécis**.

____

____

____

____

4 Donnez les antonymes des mots écrits en gras pour reconstituer le portrait qu'Albert Camus fait du docteur Rieux, personnage central du roman *La Peste*[1].

Paraît trente-cinq ans. Taille moyenne. Les épaules **fragiles**. Visage presque rectangulaire. Les yeux **clairs** et **irréguliers**, mais les mâchoires **rentrées**. Le nez **fin** est **irrégulier**. Cheveux **blancs** très **longs**. La bouche est **droite** avec des lèvres **minces** et presque toujours **ouvertes**. Il a un peu l'air d'un paysan sicilien avec sa peau **pâle**, son poil **blond** et ses vêtements de teintes toujours **claires** mais qui lui vont bien. Il marche **lentement**. Il descend les trottoirs sans changer son allure, mais deux fois sur trois remonte sur le trottoir opposé en faisant un **lourd** saut.

1 Albert Camus, *La Peste*, 1947.

____

____

____

____

____

____

5 Utilisez un antonyme du mot écrit en gras pour accentuer le contraste entre les phrases.

a) Après l'expédition, tout le monde a vanté son **courage**. Cependant, on aurait dû parler de sa ____________ aussi, car on l'a vue plus d'une fois.

b) Son comportement **hésitant** nous a tous déstabilisés, car habituellement il fait preuve d'une attitude ____________ .

c) Cet humoriste raconte ses histoires avec une **force** extraordinaire. Pourtant, au dernier spectacle, les critiques ont remarqué quelques ____________ .

d) Son père leur **interdisait** toujours d'aller seuls à la plage. Quel contraste avec leur mère, qui leur ____________ tout !

e) Les deux musiciens ont joué **successivement** au dernier festival, alors que d'habitude, ils le font ____________ .

6 Donnez un antonyme pour chacun des mots suivants et utilisez-le dans une phrase de votre cru.

a) suffisant ____________

____

b) intervention ____________

____

c) verrouiller ____________

____

d) polyvalent ____________

____

e) achever ____________

____

Les paronymes

Les paronymes sont des mots qui sont très semblables quant à leur forme, leur orthographe et leur prononciation, mais complètement différents quant à leur sens.

Exemples :

- Consommer : accomplir un acte ; absorber de la nourriture ; utiliser une source d'énergie.
  Consumer : détruire par le feu.
- Éruption : sortie soudaine.
  Irruption : entrée soudaine.

Les paronymes peuvent être source de confusion. En cas de doute, il est préférable de consulter un dictionnaire général. Voici une liste des paronymes qui occasionnent fréquemment des confusions.

LES PARONYMES		
abréger • abroger	écharde • écharpe	médical • médicinal
acceptation • acception	éclaircir • éclairer	moduler • modeler
accident • incident	effraction • infraction	notable • notoire
admirable • admiratif	égaler • égaliser	obstruer • obturer
affectation • affection • infection	émigrer • immigrer	ouvrable • ouvert
affectueux • affectionné	éminent • imminent	perpétrer • perpétuer
allocation • allocution	énergie • synergie	pouvoir • pourvoir
allusion • élision • illusion	entrer • rentrer	précéder • procéder
alternance • alternative	éruption • irruption	préférer • proférer
aménager • déménager • emménager	évoquer • invoquer	prénom • pronom
amener • emmener	habileté • habilité	préposition • proposition
amnistie • armistice	hiberner • hiverner	prescrire • proscrire
amoral • immoral	humaniste • humanitaire	prévenir • provenir
assumer • assurer	importun • opportun	prévisions • provisions
attentif • attentionné	impression • expression	prodige • prodigue
audience • auditoire	imprudent • impudent	proéminent • prééminent
biographie • bibliographie	inclinaison • inclination	prolongation • prolongement
bise • brise	inconstant • inconsistant	rabattre • rebattre
capturer • captiver	indigent • indulgent	recouvrir • recouvrer
classer • classifier	induire • enduire	sécession • succession
collision • collusion	infecté • infesté	simuler • stimuler
compréhensif • compréhensible	infime • infirme	stage • stade
consommer • consumer	intégral • intégrant	stupéfait • stupéfié
contacter • contracter	irréconciliable • inconciliable	subvention • subversion
déférent • différent	isolement • isolation	vénéneux • venimeux
démontrer • montrer	justesse • justice	
désaffecté • désinfecté	luxe • luxure	

Le rôle des paronymes

Les paronymes peuvent servir à créer des effets expressifs dans un texte. La figure de style créée à partir de paronymes s'appelle **paronomase**. On utilise cette figure dans tout énoncé censé être court et efficace (les publicités, les proverbes, les titres, etc.).

Exemples :

- Qui **se ressemble s'assemble**.
- Qui vole un œuf vole un **bœuf**.
- Qui **s'excuse s'accuse**.

exercices

1 Utilisez le paronyme qui convient dans chacune des phrases suivantes.

affection • affectation

a) Sandrine montre beaucoup d' ___________________ envers ses parents.

b) Le manque de naturel, l' ___________________ de cette comédienne dans ses entrevues la rendent insupportable.

allusion • illusion

c) La distinction entre rêve et réalité n'était que pure ___________________ .

d) Ne faites pas ___________________ à son récent voyage ; c'était un fiasco.

alternance • alternative

e) L' ___________________ est simple : rester à Montréal pendant l'été ou aller à la campagne.

f) L' ___________________ de végétation variée et de lacs dans le paysage rend la région très intéressante.

biographie • bibliographie

g) Il ne faut surtout pas oublier d'inclure la ___________________ des ouvrages consultés dans votre document.

h) Une maison d'édition très prestigieuse vient de publier la ___________________ de ce sportif célèbre.

compréhensif • compréhensible

i) Après tout ce qui est arrivé, il est tout à fait normal que son ami ne soit plus aussi ___________________ .

j) Son attitude me semble ___________________ après tout ce qui est arrivé.

contacter • contracter

k) Vous risquez de ___________________ des virus dangereux si vous ne recevez pas tous vos vaccins avant de partir en voyage.

l) En cas d'urgence, voici les coordonnées de la personne à ___________________ .

inclination • inclinaison

m) L' ___________________ du terrain ne leur a pas permis de monter leur tente facilement.

n) Son ___________________ pour les arts s'est manifestée dès son plus jeune âge.

stimuler • simuler

o) Pour faire plaisir à sa copine, il n'arrêtait pas de ___________________ son intérêt pour la danse synchronisée, qui l'ennuyait terriblement.

p) Pour ___________________ son intérêt pour la musique classique, ses parents l'emmènent souvent à des concerts.

subvention • subversion

q) Nous avons obtenu une ___________________ pour lancer notre entreprise.

r) Ses poèmes ont toujours été des tentatives de ___________________ à l'égard du système politique au pouvoir.

inciter • insister

s) Notre entraineur n'arrêtait pas d' ________________ sur l'importance de bien réfléchir avant de prendre une décision.

t) Pour ________________ les jeunes à s'investir dans de tels projets, la municipalité a lancé un concours dont les prix sont très intéressants.

entrer • rentrer

u) Marie-Hélène veut ________________ à l'université l'automne prochain.

v) C'est la raison pour laquelle elle compte ________________ de ses vacances au mois d'aout.

2 Choisissez le bon paronyme pour compléter les phrases suivantes.

a) Les interventions de ce chercheur ne manquaient jamais de (justice, justesse) ________________ .

b) Toutes les lois qui contreviennent au bon fonctionnement de la société devraient être (abrogées, abrégées) ________________ .

c) (L'allocution, L'allocation) ________________ que cet écrivain a prononcée au début du congrès a charmé tout l'auditoire.

d) Vous n'avez pas encore répondu à la (préposition, proposition) ________________ que je vous ai faite en début de semaine.

e) Grâce à (l'émigration, l'immigration) ________________ , la cuisine montréalaise devient de plus en plus diversifiée.

f) Le médecin lui a (prescrit, proscrit) ________________ plusieurs médicaments, mais il n'en a pris aucun.

g) Nous avions l'intention d'aller faire du camping, mais les (prévisions, provisions) ________________ météorologiques nous ont fait changer d'avis.

h) Pour arriver à (pouvoir, pourvoir) ________________ aux besoins de leur famille, ils ont décidé d'emménager en ville.

i) Sur l'ile, le passage du typhon était (éminent, imminent) ________________ .

j) On n'avait pas jugé le moment (importun, opportun) ________________ pour annoncer une telle nouvelle.

3 Utilisez chacun des paronymes suivants dans une phrase de votre cru.

a) allusion

____

____

b) illusion

____

____

c) élision

____

____

d) prévisions

____

____

e) provisions

---

f) éminent

---

g) imminent

Les homonymes

Les homonymes sont des mots qui se prononcent ou s'écrivent de la même façon, mais qui ont des sens différents.

Les homonymes qui **se prononcent** de la même façon, sans s'écrire de la même façon, s'appellent *homophones*.

Exemple :
Mon intervention au dernier cours a été appréciée par mes coéquipiers.
Ils **m'ont** très bien expliqué la raison de leur départ.
Nous avons passé nos vacances près du **mont** Orford.

Les homonymes qui **s'écrivent** de la même façon s'appellent *homographes*.

Exemple :
Son travail est toujours d'une qualité exceptionnelle.
Baisse le **son**, s'il te plait, j'ai mal à la tête.
J'apporterai des biscuits au **son**, je sais que ce sont tes préférés.

Le tableau suivant présente les principaux homonymes ainsi que des stratégies permettant de les distinguer.

LES PRINCIPAUX HOMONYMES

	Classe de mot	Exemples	Stratégies
as a	**Verbe *avoir*** à l'indicatif présent 2e pers. du sing. : tu as 3e pers. du sing. : il/elle/on a	Tu **as** raison. Il **a** de bonnes intentions.	Remplacer **as** par *avais* Remplacer **a** par *avait*
à	**Préposition** qui indique le lieu, le but, le temps, la manière, etc., et qui introduit un GPrép	Il va **à** l'école. Tu pars **à** 15 h.	Ne peut pas être remplacée par *avais* ou *avait*
ce	**Déterminant démonstratif** qui accompagne un nom masculin singulier	**Ce** film est excellent. **Ce** hamburger est bon.	Compléter le GN par *-là* ou *-ci* Remplacer le GN par *celui-ci* ou *celui-là*
	Pronom démonstratif • Tournures interrogatives : Est-*ce* que ? Qui est-*ce* qui ? Qu'est-*ce* qui ? Est-*ce*... ? etc. • Devant *qui*, *que* et *dont* quand l'antécédent est une idée • Devant le verbe *être*	Est-**ce** qu'ils sont d'accord ? Qui est-**ce** qui prend la parole ? Est-**ce** toi, Louise ? Dis-moi **ce** que je dois faire. C'est **ce** qui me touche dans cette histoire. **Ce** dont tu parles est vrai. **Ce** sont mes livres préférés.	

LES PRINCIPAUX HOMONYMES			
	Classe de mot	**Exemples**	**Stratégies**
se	**Pronom personnel réfléchi** qui reprend les pronoms *il, elle, on, ils, elles* dans la conjugaison des verbes pronominaux	Il **se** rappelle cette soirée-là. Ils **se** sont rencontrés à l'aréna. On **se** parle souvent. Elles **se** souviennent de toi.	Remplacer le sujet de 3e personne + le pronom par *je me* ou *tu te*, par *nous nous* ou *vous vous*
c'est	C' : **pronom démonstratif *ce* élidé** placé devant *est*, verbe *être*, 3e pers. du sing. du présent de l'indicatif	**C'est** une excellente idée. **C'est** ma copine.	Remplacer **c'est** par *c'était*
s'est	S' : **pronom personnel *se* élidé**, placé devant *est*, verbe *être*, 3e pers. du sing. du présent de l'indicatif *S'est* est utilisé au passé composé des verbes pronominaux	Il **s'est** penché vers sa voisine. On **s'est** appelés ce matin. Elle **s'est** réveillée tard.	Remplacer le sujet de 3e personne + le pronom + l'auxiliaire par *je me suis, tu t'es, nous nous sommes* ou *vous vous êtes*
ses	**Déterminant possessif** qui indique un lien de possession (à lui, à elle)	**Ses** idées sont pertinentes. J'apprécie **ses** commentaires.	Remplacer **ses** par *mes* ou *tes*
ces	**Déterminant démonstratif** qui introduit un nom masculin ou féminin pluriel qui exprime une réalité déjà nommée ou montrée du doigt	**Ces** chercheurs arrivent demain. **Ces** arbres ont perdu leurs feuilles. **Ces** opérations sont un succès.	Mettre la phrase au singulier et remplacer **ces** par *ce, cet* ou *cette*
sais	**Verbe *savoir*** à l'indicatif présent 1re ou 2e pers. du sing. : je/tu sais	Je ne **sais** pas quoi lui répondre. Tu **sais** comment lui parler.	Remplacer **sais** par *savais*
sait	**Verbe *savoir*** à l'indicatif présent 3e pers. du sing. : il/elle/on sait	Elle **sait** la vérité.	Remplacer **sait** par *savait*
et	**Conjonction de coordination** qui peut relier deux mots, groupes de mots ou phrases de même fonction syntaxique	Elle a rencontré Dan **et** Maxime. Tu préfères nager **et** skier. Je parle **et** tu ne m'écoutes pas. Je veux qu'il danse **et** qu'il chante.	Remplacer **et** par *ou, mais*
es	**Verbe *être*** à l'indicatif présent 2e pers. du sing. : tu es	Tu **es** capable de tels exploits. Tu **es** sorti avant moi.	Remplacer **es** par *étais*
est	**Verbe *être*** à l'indicatif présent 3e pers. du sing. : il/elle/on est	Le journaliste **est** stupéfait. Il **est** temps de parler.	Remplacer **est** par *était*
aie aies ait aient	**Verbe *avoir*** au subjonctif présent 1re pers. du sing. : que j'aie 2e pers. du sing. : que tu aies 3e pers. du sing. : qu'il/elle/on ait 3e pers. du plur. : qu'ils/elles aient	Il est nécessaire que j'**aie** de l'aide. Il faut que tu **aies** du courage. Vous vouliez qu'il **ait** sa propre vie. Tu aimerais qu'ils **aient** fini tôt.	Remplacer le pronom + le verbe par *nous ayons*
la	**Déterminant défini** placé devant un nom féminin singulier	**La** sortie a été amusante.	Remplacer **la** par un autre déterminant comme *cette, ma, ta, sa*, etc.
	Pronom personnel CD qui remplace un nom féminin singulier	Cette fille, je **la** vois tous les jours.	Réécrire la phrase de base en effaçant le pronom et en exprimant son antécédent
l'a	L' : **pronom personnel *le* ou *la* élidé**, placé devant *a* (verbe *avoir*, à l'indicatif présent, 3e pers. du sing.)	Ce livre, elle **l'a** lu rapidement. Cette revue, elle **l'a** lue rapidement.	Remplacer **l'a** par *l'avait*
l'as	L' : **pronom personnel *le* ou *la* élidé**, placé devant *as* (verbe *avoir*, à l'indicatif présent, 2e pers. du sing.)	Ce tableau, tu **l'as** acheté récemment. Cette image, tu **l'as** trouvée expressive.	Remplacer **l'as** par *l'avais*
là	Adverbe de lieu	Je t'attendrai **là**.	Remplacer **là** par *ici* ou *là-bas*

LES PRINCIPAUX HOMONYMES			
	Classe de mot	**Exemples**	**Stratégies**
leur leurs	**Déterminant possessif** qui indique un lien de possession (à lui, à elle, à eux, à elles)	Ces sportifs suivent **leur** objectif. Ils ont envoyé **leurs** bagages par avion.	Remplacer **leur** par *notre* ou *votre* Remplacer **leurs** par *nos* ou *vos*
leur	**Pronom personnel CI**, invariable et toujours placé devant un verbe	Tu **leur** as parlé de tes projets.	Remplacer **leur** par le pronom personnel CI *nous* ou *vous*
ma	**Déterminant possessif** qui indique un lien de possession (à moi)	**Ma** saison préférée est l'été.	Remplacer **ma** par *notre*
m'a	M' : **pronom personnel *me* élidé**, placé devant *a* (verbe *avoir* à l'indicatif présent, 3e pers. du sing.)	Hier soir, il **m'a** invité au cinéma.	Remplacer **m'a** par *m'avait*
m'as	M' : **pronom personnel *me* élidé**, placé devant *as* (verbe *avoir* à l'indicatif présent, 2e pers. du sing.)	Tu ne **m'as** rien demandé.	Remplacer **m'as** par *m'avais*
mes	**Déterminant possessif** qui indique un lien de possession (à moi)	**Mes** souvenirs de cette nuit-là sont encore forts.	Remplacer **mes** par *nos*
mais	**Conjonction de coordination** qui exprime la restriction, l'opposition, la réfutation ou la rectification	J'aimerais l'inviter, **mais** mes amis ne sont pas d'accord.	Remplacer **mais** par *toutefois, cependant*
mets	**Verbe *mettre*** à l'indicatif présent 1re et 2e pers. du sing. : je/tu mets	Je **mets** du beurre dans mes gâteaux. Je **mets** mon chandail noir au théâtre. Tu **mets** en doute mes paroles.	Remplacer **mets** par *mettais*
met	**Verbe *mettre*** à l'indicatif présent 3e pers. du sing. : il/elle/on met	Il **met** son manteau.	Remplacer **met** par *mettait*
m'est	M' : **pronom personnel *me* élidé**, placé devant le verbe *être* à l'indicatif présent, 3e pers. du sing.	Alors, elle **m'est** apparue dans le cadre de sa porte.	Remplacer **m'est** par *m'était*
mets	**Plat cuisiné** Nom masculin s'écrivant toujours avec un *s*, même au singulier	J'aime les **mets** épicés.	Remplacer **mets** par *plat*
mon	**Déterminant possessif** qui indique un lien de possession (à moi)	**Mon** intuition me dicte de m'arrêter.	Remplacer **mon** par *mes*
m'ont	M' : **pronom personnel *me* élidé**, placé devant *ont* (verbe *avoir* à l'indicatif présent, 3e pers. du plur.)	Ils **m'ont** envoyé leurs vœux. Elles **m'ont** vu en train de danser.	Remplacer **m'ont** par *m'avaient*
mont	**Petite montagne** Nom masculin	Nous faisons de la randonnée au **mont** Saint-Bruno.	Remplacer **mont** par *montagne*
ont	**Verbe *avoir*** à l'indicatif présent 3e pers. du plur. : ils/elles ont	Ils **ont** fini leur stage.	Remplacer **ont** par *avaient*
on	**Pronom personnel sujet**, 3e pers. du sing.	**On** critique souvent ton attitude.	Remplacer **on** par *il, tout le monde*
ou	**Conjonction de coordination** qui peut relier deux mots, groupes de mots ou phrases de même fonction syntaxique et qui indique un choix, une alternative	Tu veux faire de la recherche **ou** aller en stage ?	Remplacer **ou** par *et*

LES PRINCIPAUX HOMONYMES			
	Classe de mot	**Exemples**	**Stratégies**
où	**Adverbe interrogatif** qui indique le lieu, l'endroit	**Où** passeras-tu le reste de tes vacances?	Remplacer **où** par *à quel endroit*
	Pronom relatif qui indique le lieu ou le temps	Le passage **où** je me suis arrêté est très significatif. Le soir **où** tu m'as rencontrée, j'étais enrhumée.	
peux	**Verbe** ***pouvoir*** à l'indicatif présent 1re et 2e pers. du sing. : je/tu peux	Je **peux** traduire ce texte en anglais. Tu ne **peux** pas me donner une réponse négative.	Remplacer **peux** par *pouvais*
peut	**Verbe** ***pouvoir*** à l'indicatif présent 3e pers. du sing. : il/elle/on peut	Elle **peut** vous rendre ce service. On ne **peut** pas lui faire confiance.	Remplacer **peut** par *pouvait*
peu	**Adverbe de quantité**	Elle parle **peu**.	Remplacer **peu** par *beaucoup*
	Pronom indéfini	**Peu** sont venus me rendre visite.	Remplacer **peu** par *plusieurs*
	Déterminant indéfini : *peu de (d')*	Il y a **peu** d'erreurs dans sa composition.	Remplacer **peu** par *beaucoup*
sa	**Déterminant possessif** qui indique un lien de possession (à lui, à elle)	**Sa** note à l'examen de physique a été fabuleuse. **Sa** visite m'a fait plaisir.	Remplacer **sa** par *ses, ma, ta*
ça	**Pronom démonstratif**, abréviation de *cela*	**Ça** ne me tente pas de te donner des explications.	Remplacer **ça** par *cela*
sont	**Verbe** ***être*** à l'indicatif présent 3e pers. du plur. : ils/elles sont	Ces athlètes **sont** capables de battre le record. Ils se **sont** réveillés à 10 h. Elles **sont** parties la semaine passée.	Remplacer **sont** par *étaient*
son	**Déterminant possessif** qui indique un lien de possession (à lui, à elle)	Elle doit faire réparer **son** vélo avant le tour de l'ile. **Son** oncle est un véritable modèle pour lui.	Remplacer **son** par *ses*
	Bruit, intensité sonore, volume Nom masculin	Le **son** de la flute de Pan nous faisait rêver au Pérou.	Remplacer **son** par *sonorité*
	Céréale Nom masculin	Ma tante fait de délicieux gâteaux au **son**.	Remplacer **son** par *avoine*
t'a	T' : **pronom personnel** ***te*** **élidé**, placé devant le verbe *avoir* à l'indicatif présent, 3e pers. du sing.	La conseillère **t'a** suggéré de changer de programme.	Remplacer **t'a** par *t'avait*
ta	**Déterminant possessif** qui indique un lien de possession (à toi)	**Ta** réaction nous a tous surpris.	Remplacer **ta** par *tes*
t'ont	T' : **pronom personnel** ***te*** **élidé** placé devant le verbe *avoir* à l'indicatif présent, 3e pers. du plur.	Les spectateurs **t'ont** applaudi.	Remplacer **t'ont** par *t'avaient*
ton	**Déterminant possessif** qui indique un lien de possession (à toi)	**Ton** costume te va à merveille.	Remplacer **ton** par *tes*
	Hauteur de la voix Nom masculin	Baisse le **ton**, je t'entends très bien.	Remplacer **ton** par *volume*

Source : Louise Archambault et Maria Popica, *Le condensé*, 2014, p. 113-118.

exercices

1 **Utilisez chacun des mots suivants dans une phrase de votre cru. Trouvez-lui ensuite un homonyme et composez une autre phrase contenant celui-ci.**

Exemple :
Voix : Au loin, dans le bois, on entendait des **voix**.
Voie : Je suis certaine que tu vas bientôt trouver ta **voie**.

a) **Résonner :** ____________________

____

b) **Tache :** ____________________

____

c) **Tant :** ____________________

____

d) **Près :** ____________________

____

e) **Vain :** ____________________

____

2 **Choisissez l'homonyme approprié pour compléter les phrases suivantes.**

a) **pair • paire • père**

- Marconi est le ____________ de la radio.
- Après la présentation orale, chaque étudiant se fait évaluer par un ____________ .
- Tu devrais t'acheter une nouvelle ____________ de lunettes de soleil.

b) **fond • fonds • font**

- Elle n'a pas assez de ____________ pour lancer son entreprise.
- Ils se sont assis au ____________ de la salle pour mieux voir tout le monde.
- Elles ____________ toujours attention à ce qu'elles affirment en public.

c) **foi • foie • fois**

- Son employeur a ____________ en ses capacités.
- La dernière ____________ qu'elle m'a appelé, j'étais au bord du lac.
- Sa récente crise de ____________ l'a déstabilisée.

d) **saint • sein • sain**

- L'air ____________ des montagnes me manque beaucoup.
- Aux yeux de ses proches, il a un comportement de ____________ .
- Il aime beaucoup travailler au ____________ de cette équipe.

e) **mets • mes • met**

- Toutes ________________ connaissances en informatique ont été très utiles.
- Au restaurant, il commandait toujours des ________________ indiens.
- Ce moniteur ________________ beaucoup l'accent sur les normes de sécurité.

3 Choisissez le bon homonyme dans la colonne de droite.

a) Elle __________ encore trompée de place.	ces
b) __________ fini pour aujourd'hui.	ses
c) __________ résultats sont excellents.	s'est
d) __________ jours-ci ont été très difficiles pour lui.	c'est
e) Il ne __________ plus par où commencer.	sait

f) Peux-tu me prêter __________ dollars ?	sang
g) __________ leurs parents, ils se sentent perdus.	s'en
h) Je me __________ mieux aujourd'hui.	sens
i) Ils __________ sont rendu compte, mais c'était trop tard.	sans
j) Les dons de __________ se sont multipliés cette année.	cent

k) __________ le comptable ni le notaire ne l'ont remarqué.	nie
l) Elle __________ toujours avoir commis des erreurs.	n'y
m) Ça va se régler, __________ pense plus !	ni
n) Cependant, tu __________ être la cause de ce débat.	nid
o) Sa maison est devenue un __________ de bonheur.	nies

4 Corrigez, s'il y a lieu, les homonymes écrits en gras dans le texte suivant[2].

Les **mers** de famille qui occupent des postes de **hôte** direction **ce** font qualifier de superwomen. **Ont** s'étonne de **leur** succès, **ont** les admire, **on leurs** demande comment elles accomplissent **leur** boulot tout en élevant **leurs** marmaille. Réponse : en déléguant, comme le font d'ailleurs les hommes **d'en** la même situation.

2 Extraits de l'article « Patronne et mère, un modèle à inventer », de Mélissa Guillemette, *Magazine Jobboom*, avril 2014, [en ligne], [http://www.jobboom.com/carriere/patronne-et-mere-un-modele-a-inventer/] (consulté le 20 juillet 2014).

À voir de plus en plus d'hommes faire **là** vaisselle et aller chercher **leurs** mousses au service de garde, **on** pourrait croire que les femmes **on d'avantages** les coudées franches au boulot. Or pas tout **a fais**. Hommes et femmes sont occupés le même nombre d'heures chaque jour, d'après les données de 2010 de l'Institut de **la** statistique du Québec (ISQ). Toutefois, les activités professionnelles accaparent les **d'eux** tiers du **tant** productif des hommes, comparativement à la moitié pour les femmes. **Ses** dernières consacrent l'autre moitié au «quart du soir», **soi** les **taches** domestiques et les soins aux enfants **où** aux ainés. Ainsi, dans les familles **ou** les enfants sont tous d'âge scolaire, les **mers** consacrent en moyenne 4,5 heures **part** jour aux **taches** domestiques contre 2,6 pour les **paires**.

Heureusement, **ont voie** poindre un changement du côté des nouvelles générations. Véronique Joubert, qui **comte** avoir des enfants, n'a pas l'intention de prendre une plus grosse part des responsabilités familiales que **sont** conjoint. «**Ont** parlait de **sa** récemment, **mont** chum et moi, et notre congé parental, **sa** sera probablement moitié-moitié. **Sa** risque même d'être plus lui!»

De jeunes hommes reconfigurent aujourd'hui les rôles au sein de la famille, constate **l'a** professeure à l'Université Laval, Hélène Lee-Gosselin. «Ils accommodent les obligations professionnelles de **leurs** femme et, dans certains cas, mettent **leurs** carrière en veilleuse **où** deviennent entrepreneurs pour répondre aux besoins du ménage **quant** leur conjointe **à** une carrière exigeante. Rarissime il y a 20 ans, ce modèle est plus visible maintenant, ce qui permet de changer l'image du **pair**. **Mets** pour qu'il prenne plus de place, il **faux** que la culture change en entreprise.»

Les barbarismes

Le barbarisme est une erreur de langage qui consiste à employer des mots déformés ou à utiliser un mot dans un sens qu'il n'a pas.

Exemples:
aréoport pour **aéroport**
astérix pour **astérisque**
dilemne pour **dilemme**
ci-haut, ci-bas mentionné pour **ci-dessus, ci-dessous / plus haut, plus bas**
grincher des dents pour **grincer des dents**
enduire en erreur pour **induire en erreur**
infractus pour **infarctus**
libéraliste pour **libéral**
manicure pour **manucure**
pécunier pour **pécuniaire**
prioriser pour **donner priorité à, établir des priorités**
rabattre (les oreilles) pour **rebattre (les oreilles)**
rénumération pour ***rémunération***

La plupart des barbarismes lexicaux résultent:

- de l'inversion de lettres (ex.: obni**bu**ler pour **obnubiler**);
- de l'ajout de lettres (ex.: vo**n**lontaire pour **volontaire**);
- d'une confusion de mots (ex.: ***frustre*** provient d'une confusion de **fruste** et de **rustre**);
- d'une analogie indue avec un autre mot (ex.: ***tête d'oreiller*** pour **taie d'oreiller**).

exercices

1 Choisissez le mot entre parenthèses qui est approprié pour compléter les phrases suivantes.

a) Choisir entre l'amour et l'honneur est un (dilemne, dilemme) ____________ déchirant pour le héros classique.

b) Anne-Marie a demandé à sa sœur de lui faire une (manicure, manucure) ____________ .

c) Cet homme politique a toujours manifesté son esprit (libéraliste, libéral) ____________ .

d) Le centre sportif va (réouvrir, rouvrir) ____________ ses portes cet automne.

e) Son chien l'accompagnait dans toutes ses (périgrinations, pérégrinations) ____________ matinales.

f) Il ne faut pas ignorer les mérites (intrasèques, intrinsèques) ____________ de l'effort dans toute réalisation durable.

g) À son avis, les avantages (pécuniers, pécuniaires) ____________ n'étaient pas suffisants pour qu'il accepte une telle offre d'emploi.

2 Repérez les barbarismes dans les phrases suivantes et corrigez-les.

a) Les avocats de cette compagnie sont très bien rénumérés.

____

b) Ma mère m'a appelé hier soir pour m'annoncer que mon grand-père avait fait un infractus.

____

c) Dès qu'elle le voyait, elle se sentait hynoptisée.

____

d) Vous devez marquer d'un astérix tous les titres d'articles que vous n'avez pas encore trouvés.

____

e) Comme elle est athéiste, Monique ne comprend pas qu'autant de conflits soient alimentés par les religions.

____

f) Adepte de la simplicité vonlontaire, Bruno s'est débarrassé de sa voiture et a loué un appartement plus petit près de son travail.

____

g) La police a identifié les emprsuntes digitales de Marc sur les lieux du vol.

____

3 Encerclez les mots ou expressions appropriés dans les phrases suivantes.

a) Elle est (sans conteste / sans contestation) la meilleure de son groupe.

b) Les évènements (intervenus / survenus) en matinée ont mis fin au conflit.

c) Mon père (jouit / souffre) d'une santé exécrable.

d) Vous (risquez / avez des chances) de gagner.

e) Rien ne pèse (tant / autant) qu'un secret.

f) Cela (m'évitera / me dispensera d') un détour.

g) Nos supérieurs (partagent / approuvent) nos arguments.

Les anglicismes

Un anglicisme est un emprunt fait à la langue anglaise.

On distingue quatre catégories d'anglicismes :

- l'anglicisme orthographique (ou de forme) ;
- l'anglicisme lexical (ou de mot) ;
- l'anglicisme sémantique (ou de sens) ;
- l'anglicisme syntaxique (de construction).

L'anglicisme orthographique

L'anglicisme orthographique est **l'emprunt d'une forme orthographique** anglaise qui ressemble à l'orthographe française.

Exemples :

ANGLICISME	FRANÇAIS
addresse	adresse
baggage	bagage
comfortable	confortable
connection	connexion
dance	danse
exercise	exercice
language	langage
marriage	mariage
traffic	trafic

L'anglicisme lexical

L'anglicisme lexical est un mot emprunté à l'anglais.

Il y a des **emprunts utiles** ou nécessaires qui sont passés dans l'usage correct du français parce qu'il n'y avait pas de termes équivalents.

Exemples : baseball, clown, coroner, football, golf, iceberg, marketing, rail, rap, soccer, sprint, steak, tennis.

Il y a des **emprunts inutiles** qu'il faut corriger parce qu'il existe des équivalents dans la langue française.

ANGLICISME	FRANÇAIS	ANGLICISME	FRANÇAIS
bumper (n. m.)	pare-chocs (n. m.)	discount (n. m.)	rabais, escompte (n. m.)
canceller (v.)	annuler (v.)	drum (n. m.)	batterie (n. f.)
cédule (n. f.)	horaire (n. m.)	e-mail (n. m.)	courriel (n. m.)
céduler (v.)	mettre à l'horaire, planifier, programmer (v.)	item (n. m.)	article, élément d'une liste (n. m.)
change (n. m.)	monnaie (n. f.)	opener (n. m.)	ouvre-bouteille/ouvre-boite (n. m.)
chat (n. m.)	clavardage (n. m.)	ploguer (v.)	brancher (v.)
chatter (v.)	clavarder (v.)	refill (n. m.)	recharge (n. f.)
cheap (adj.)	de mauvaise qualité, bon marché, radin (adj.)	scrapper (v.)	démolir (v.)
checker (v.)	vérifier, contrôler (v.)	show (n. m.)	spectacle (n. m.)
coach (n. m.)	entraineur (n. m.)	software (n. m.)	logiciel (n. m.)
coacher (v.)	entrainer (v.)	speedé (adj.)	nerveux, agité (adj.)
computer (n. m.)	ordinateur (n. m.)	stage (n. m.)	scène (n. f.)
deadline (n. m.)	échéance, date butoir (n. f.)	stooler (v.)	dénoncer (v.)
deck (n. m.)	terrasse (n. f.)		

Source : Louise Archambault et Maria Popica, *Le condensé*, 2014, p. 120.

L'anglicisme sémantique

L'anglicisme sémantique est **l'emprunt de la signification anglaise** d'un mot qui existe en français, mais qui n'a pas cette signification.

Exemple :

Si on utilise batterie (qui a plusieurs significations en français) dans le sens de *pile*, on commet un anglicisme sémantique en empruntant la signification anglaise du mot battery (appareil transformant l'énergie chimique ou solaire en électricité), une signification que le mot *batterie* n'a pas en français. On doit donc dire « la **pile** de ma montre est morte » plutôt que « la ~~**batterie**~~ de ma montre est morte », car le mot *batterie* est un anglicisme si on l'utilise dans le sens du mot *pile*.

Par ailleurs, si on crée une expression en français par la traduction littérale de l'expression anglaise, on commet ici aussi un anglicisme sémantique.

Exemple :

Il a fait un appel ~~**longue-distance**~~. (traduction littérale de l'expression *long-distance call*)

Il a fait un appel **interurbain**.

Les anglicismes sémantiques sont aussi appelés **faux-amis.**

QUELQUES FAUX-AMIS

Mot	Faux-ami	Français
académique	Son dossier ~~**académique**~~ est excellent.	Son dossier **scolaire** est excellent.
admission	Le prix de l'~~**admission**~~ est raisonnable.	Le prix d'**entrée** est raisonnable.
balance	Votre ~~**balance**~~ est de 150 $.	Votre **solde** est de 150 $.
blanc	Il a eu un ~~**blanc**~~ de mémoire sur scène.	Il a eu un **trou** de mémoire sur scène.
caméra	Tu devrais apporter ta ~~**caméra**~~ dans tes bagages.	Tu devrais apporter ton **appareil photo** dans tes bagages.
(s') enregistrer	Il faut s'~~**enregistrer**~~ avant chaque activité.	Il faut s'**inscrire** avant chaque activité.
gaz	Il n'y avait plus de ~~**gaz**~~ dans sa voiture.	Il n'y avait plus d'**essence** dans sa voiture.
graduation	Ils sont ensemble depuis leur bal de ~~**graduation**~~.	Ils sont ensemble depuis leur bal de **fin d'études** (bal des **finissants**).
pamphlet	Il est allé chercher un ~~**pamphlet**~~ à l'entrée.	Il est allé chercher un **dépliant** (une **brochure**, un **prospectus**) à l'entrée.
performance	La ~~**performance**~~ de ce comédien a été excellente.	L'**interprétation** de ce comédien a été excellente.
ticket	J'ai eu un ~~**ticket**~~ de 100 $ hier.	J'ai eu une **contravention** de 100 $ hier.

Expression	Faux-ami	Français
Avoir un **argument**	Mélissa et ses amis ont eu un ~~**argument**~~ ce matin.	Mélissa et ses amis ont eu une **discussion** ce matin.
Compléter un formulaire	Vous devez ~~**compléter**~~ ce formulaire rapidement.	Vous devez **remplir** ce formulaire rapidement.
Demander une question	Tu peux me ~~**demander**~~ des questions si tu ne comprends pas.	Tu peux me **poser** des questions si tu ne comprends pas.
Faire une **application**	Karine a fait une ~~**application**~~ pour l'été prochain. Florence a déjà fait son ~~**application**~~ à l'université.	Karine a fait une **demande d'emploi** pour l'été prochain. Florence a déjà fait sa **demande d'admission** à l'université.
Faire sa part	Caroline ~~**a fait sa part dans**~~ l'éducation de ses quatre enfants.	Caroline **a contribué à** l'éducation de ses quatre enfants.

QUELQUES FAUX-AMIS		
Expression	**Faux-ami**	**Français**
Mettre l'**emphase** sur	Notre technicien met l'~~**emphase**~~ sur la sécurité.	Notre technicien met l'**accent** sur la sécurité.
Partir une entreprise	Dans un mois, il compte ~~**partir**~~ son entreprise.	Dans un mois, il compte **lancer/démarrer** son entreprise.
Prendre un cours	Il faut ~~**prendre**~~ un cours de biologie ce trimestre.	Il faut **suivre** un cours de biologie ce trimestre.
Prendre une pause	Nous ~~**prenions**~~ une pause toutes les deux heures.	Nous **faisions** une pause toutes les deux heures.
Sauver du temps	En prenant ce chemin de traverse, on ~~**sauve**~~ du temps.	En prenant ce chemin de traverse, on **gagne** du temps.
Sauver de l'argent	Si vous achetez vos livres en ligne, vous ~~**sauverez**~~ de l'argent.	Si vous achetez vos livres en ligne, vous **économiserez** de l'argent.

Source : Louise Archambault et Maria Popica, *Le condensé*, 2014, p. 121.

L'anglicisme syntaxique

L'anglicisme syntaxique est **la transposition en français d'une construction anglaise.**

Exemples :

ANGLICISME	FRANÇAIS
La fille **que** je sors **avec** est jolie.	La fille **avec qui** je sors est jolie.
Il l'a attendu **pour** deux jours.	Il l'a attendu (**durant**, **pendant**) deux jours.
Je l'ai rencontré **sur** l'autobus ce matin.	Je l'ai rencontré **dans** l'autobus ce matin.
Elle **est sur** ce comité depuis deux ans.	Elle **siège à** ce comité depuis deux ans. Elle **fait partie de** ce comité depuis deux ans. Elle **est membre de** ce comité depuis deux ans.
Julie est contente **avec** son nouveau travail.	Julie est contente **de** son nouveau travail.
Nous **l'**avons téléphoné.	Nous **lui** avons téléphoné.
Cette question **est difficile à répondre**.	**Il est difficile de répondre à** cette question.
Beaucoup reste à faire dans ce dossier.	**Il reste beaucoup** à faire dans ce dossier.
Ils ont passé **un bon deux heures** ensemble.	Ils ont passé **deux bonnes heures** ensemble.
Comparé à l'année passée, ils ont mieux réussi.	**Comparativement à** l'année passée, ils ont mieux réussi.
Depuis qu'il vit à Montréal, il **manque ses parents**.	Depuis qu'il vit à Montréal, **ses parents lui manquent**.
Il nous fait plaisir de vous informer que votre demande a été acceptée.	**Nous avons le plaisir de** vous informer que votre demande a été acceptée. **C'est avec plaisir que nous vous informons** que votre demande a été acceptée.
C'est Laurent qui est **en charge** de ce projet.	C'est Laurent qui est **responsable** de ce projet. C'est Laurent qui est **chargé** de ce projet.

Source : Louise Archambault et Maria Popica, *Le condensé*, 2014, p. 122.

Pour éviter les anglicismes ou les corriger, on peut consulter un dictionnaire d'anglicismes tel que *Le Colpron* (Groupe Beauchemin éditeur), ou encore le *Multidictionnaire de la langue française* (Éditions Québec Amérique).

exercices

1 Écrivez la forme correcte des anglicismes orthographiques suivants.

a) address ____________
b) alcohol ____________
c) apartment ____________
d) baggage ____________
e) comfortable ____________
f) example ____________
g) exercise ____________
h) language ____________
i) marriage ____________
j) traffic ____________

2 Corrigez les anglicismes lexicaux dans les phrases suivantes. Le chiffre entre parenthèses indique le nombre d'anglicismes dans la phrase.

a) Mon coach de tennis est toujours très sévère avant une compétition. (1)

____

____

b) Il essayait de starter l'auto, sans se rendre compte qu'il n'y avait plus de gaz dans la tank. (3)

____

____

c) Comme la cédule de mon dentiste est très chargée, je dois appeler plusieurs semaines à l'avance pour avoir un appointement. (2)

____

____

d) Il faut que je finisse ce projet au moins la veille du deadline, au cas où il y aurait des items à ajouter dans la table des matières. (2)

____

____

e) Hier, Sara a eu un ticket parce qu'elle n'a pas respecté la limite de vitesse. (1)

____

____

f) Je lui ai envoyé un e-mail hier soir, mais comme son computer n'était pas plogué, elle ne l'a lu que ce matin, au break de 10 h. (4)

____

____

g) Pour payer le parking, il avait besoin de change. (2)

____

____

h) Elle travaille dans ce magasin et elle a toujours un discount, mais elle ne reçoit pas de tip comme une waitress. (3)

____

____

3 Associez l'anglicisme sémantique de la colonne de gauche à la forme française correcte de la colonne de droite.

a) Sauver de l'argent		1. Heures d'ouverture
b) Faire une application		2. Résultats scolaires
c) Pamphlet		3. Poser une question
d) Compléter un formulaire		4. Économiser
e) S'enregistrer		5. Poser sa candidature
f) Prendre une marche		6. S'inscrire
g) Caméra		7. Appareil photo
h) Heures d'affaires		8. Dépliant
i) Résultats académiques		9. Remplir un formulaire
j) Demander une question		10. Faire une promenade

4 Corrigez les anglicismes syntaxiques dans les phrases suivantes.

a) Avant, ils se voyaient tous les jours sur l'autobus vers l'école.

____

b) Cette fenêtre mesure 3 m par 2 m.

____

c) La fille que je sors avec est championne provinciale de natation.

____

d) À date, il a remis d'excellents rapports de stage.

____

e) Cette question n'est pas facile à répondre.

____

f) Beaucoup reste à faire pour améliorer la qualité de vie dans ces quartiers défavorisés.

____

g) Il est arrivé à l'aérogare juste en temps pour prendre l'avion.

____

h) Le jour avant, je l'ai appelé pour lui rappeler qu'on partait très tôt.

____

i) Il est sur le jury de ce concours depuis plusieurs années.

____

j) Je t'ai attendu pour une heure devant le cinéma, puis je suis allé voir le film tout seul.

____

5 **Corrigez les 15 anglicismes dans le texte suivant.**

Malgré le traffic lourd, Léa est arrivée en temps à l'entrevue. Elle avait finalement décidé de prendre une chance, après avoir appris que son amie Julie n'était pas éligible à cet emploi pour lequel elles avaient toutes les deux fait une application. Surtout que la responsable du Service des ressources humaines, qui était sur le comité d'embauche, lui avait demandé de lui retourner l'appel après sa graduation. Elle avait vu ce geste comme un support indirect.

Une fois arrivée au lieu de son appointement, une assistante lui a demandé de compléter un formulaire, pour sauver du temps en attendant le meeting, et a porté à sa connaissance que son téléphone cellulaire devait être fermé pendant l'entretien. On ne prenait pas pour acquis que c'était une règle essentielle qui devait être connue et respectée.

Les figures de style

Les figures de style sont des moyens d'expression qui modifient le langage ordinaire pour le rendre plus expressif.

Les figures de style sont nombreuses et on les retrouve autant dans la langue courante que dans les textes littéraires. Voici un tableau des figures les plus fréquentes.

PETIT LEXIQUE DES FIGURES DE STYLE			
Figure	**Définition**	**Exemple**	**Effet**
Allitération	Répétition des consonnes dans des mots qui se suivent.	« Pour qui **s**ont **c**es **s**erpents qui **s**ifflent **s**ur vos têtes ? » (Jean Racine)	L'allitération vise à imiter des sons caractéristiques produits par des choses, des humains ou des animaux. C'est une figure qui contribue à la musicalité des phrases.
Anaphore	Répétition d'un mot ou d'une expression au début de plusieurs vers ou phrases (surtout utilisée en poésie).	« **Trouver** des mots forts comme la folie **Trouver** des mots couleur de tous les jours **Trouver** des mots que personne n'oublie. » (Louis Aragon)	L'anaphore souligne un élément particulier de la phrase. Elle contribue au rythme et à l'effet musical des vers.
Antiphrase	Figure qui consiste à dire exactement le contraire de ce que l'on pense dans le but de se moquer de quelqu'un ou d'une situation.	Qu'est-ce qu'il peut être intelligent, lui ! (pour dire qu'il est stupide)	Cette figure vise à faire rire, à ridiculiser, à dénoncer une situation ou à accentuer l'ampleur d'un sentiment.
Antithèse	Contraste entre deux mots ou deux groupes de mots qui renvoient à des réalités opposées.	Catherine est un **soleil**, son frère est un **orage**.	L'antithèse permet de mettre en évidence le caractère complètement opposé des deux réalités.
Comparaison	Mise en parallèle explicite de deux réalités (à l'aide de mots comparatifs comme *tel*, *comme*, *ainsi que*, *pareil à*).	Kayla est rusée **comme** un renard.	La comparaison permet le rapprochement des deux réalités pour en faire ressortir la similitude ou la différence.

PETIT LEXIQUE DES FIGURES DE STYLE			
Figure	**Définition**	**Exemple**	**Effet**
Énumération	Accumulation de plusieurs termes, les uns à la suite des autres.	Il nous a tout raconté : ses peurs, ses joies, sa haine, ses amours.	L'énumération sert à apporter des détails dans les descriptions. Elle peut faire ressortir des contrastes, des contradictions.
Euphémisme	Emploi, à la place d'un mot, d'un autre mot ou d'une expression qui en atténue le sens.	« Il est temps que **je me repose** » (Victor Hugo) (= Il est temps que je meure.)	Par l'euphémisme, on rend une réalité moins brutale ou moins désagréable.
Gradation	Présentation d'une suite d'idées, de sentiments, d'actions dans un ordre croissant ou décroissant.	« Mon bel amour, mon cher amour, ma déchirure. » (Louis Aragon)	La gradation rend saisissante la progression d'un sentiment, d'une idée, des actions. Elle peut créer des effets d'exagération.
Hyperbole	Emploi volontaire de mots et d'expressions exagérés.	Je **meurs** de fatigue.	L'hyperbole sert à mettre en relief une réalité, à créer de l'emphase.
Litote	Expression moins directe (souvent par un verbe à la forme négative) pour atténuer une idée.	Il n'est pas très doué. (= Il est nul.)	La litote invite le lecteur à chercher la pensée réelle derrière l'expression atténuée. Elle exprime beaucoup plus qu'il n'est dit.
Métaphore	Figure qui consiste à comparer deux éléments sans que le mot comparatif soit exprimé.	« **La mer est un** (comme un) **miroir** » (Charles Baudelaire)	La métaphore permet d'associer deux éléments du réel pour souligner une certaine ressemblance qui existe entre eux. Les éléments rapprochés appartiennent généralement à des domaines différents. Cela permet de créer des images insolites et de suggérer des liens originaux entre les éléments rapprochés.
Métonymie	Figure qui consiste à désigner une réalité par le nom d'une autre réalité qui lui est proche du point de vue logique.	**Toute la ville** a été présente à cette cérémonie. (= toutes les personnes habitant la ville)	La métonymie permet de nommer une réalité de manière plus imagée et de condenser l'expression.
Oxymore	Figure qui consiste à faire coexister deux mots de sens contraire à l'intérieur du même groupe de mots.	« Je la comparerais à un **soleil noir** » (Charles Baudelaire)	L'oxymore invite le lecteur à réfléchir à une possible harmonisation des deux contraires. L'opposition peut devenir plus saisissante.
Parallélisme	Emploi d'une construction syntaxique semblable pour deux phrases, deux vers.	« Il n'avait pas de fange dans l'eau de son moulin, Il n'avait pas d'enfer dans le feu de sa forge. » (Victor Hugo) Il venait d'en **haut**, Elle venait d'en **bas**.	Le parallélisme rythme la phrase et crée un effet d'équilibre, d'harmonie. Il peut mettre en évidence une antithèse.
Périphrase	Emploi d'une expression pour désigner un nom précis.	La Vieille Capitale (= Québec) Le roi des animaux (= le lion) La planète bleue (= la Terre)	La périphrase peut attirer l'attention sur un détail de la réalité dont on parle, en l'appréciant ou en le dépréciant. Elle sert à éviter une répétition.

PETIT LEXIQUE DES FIGURES DE STYLE			
Figure	**Définition**	**Exemple**	**Effet**
Personnification	Figure de style par laquelle on attribue à une idée, à un animal ou à une chose des caractéristiques humaines. Il peut y avoir des personnifications par lesquelles on attribue à des choses inanimées des caractéristiques spécifiques à des êtres animés autres que les humains.	Les arbres **pleuraient**, fouettés par le vent.	La personnification sert à rapprocher le lecteur de la réalité décrite. Grâce au vocabulaire utilisé pour représenter des actions et des qualités humaines, les descriptions deviennent plus animées.
Répétition	Figure qui consiste à employer plusieurs fois un même mot ou une même construction syntaxique sans faire de modification de sens.	**Je t'aime ! Je t'aime !** C'est tout ce que je peux te dire.	La répétition permet d'insister sur la force d'une émotion, d'une passion pour émouvoir l'interlocuteur.

exercices

1 Nommez les figures de style employées dans les phrases suivantes.

a) Quand elle souriait, le monde entier s'illuminait.

____

b) Elle a des yeux d'émeraude.

____

c) On pleure et on rit devant un tel spectacle.

____

d) Les érables envoyaient en l'air des papillons de feuilles mortes.

____

e) Ses yeux sont verts comme l'émeraude.

____

f) Tel père, tel fils.

____

g) Son attitude de glace m'a empêché d'aller plus loin.

____

h) Il prétendait avoir lu tout Giono avant son premier cours de littérature.

____

i) Avec tes mauvais résultats, tu peux être fier de toi !

____

j) Le feu a brulé des arbustes, des champs, puis la colline entière.

____

k) Je ne suis pas fâché de partir en vacances plus tôt.

l) Je t'ai attendu longtemps, longtemps avant que tu m'envoies un signe.

m) La vie lui apparaissait profonde, significative, pleine de défis.

n) J'aime beaucoup cette toile de Salvador Dalí.

o) Cette dame n'est plus très jeune.

p) Sa discrétion insolente ne plaisait pas à tous ses amis.

q) Ce qu'il faut de regrets pour payer un frisson
Ce qu'il faut de malheur pour la moindre chanson
Ce qu'il faut de sanglots pour un air de guitare. (Louis Aragon)

2 Observez les comparaisons dans le texte ci-dessous[3] et répondez aux questions.

> «Tu m'as trouvé comme un caillou que l'on ramasse sur la plage
> Comme un bizarre objet perdu dont nul ne peut dire l'usage
> Comme l'algue sur un sextant qu'échoue à terre la marée
> Comme à la fenêtre un brouillard qui ne demande qu'à entrer
> Comme le désordre d'une chambre d'hôtel qu'on n'a pas faite.»

a) Par quel outil de comparaison les figures sont-elles introduites ?

b) Quelle image celui qui parle donne-t-il de lui-même à travers ces comparaisons ?

c) Quel effet l'accumulation de ces comparaisons produit-elle ?

d) Relevez deux autres figures de style présentes dans ce texte.

3 Louis Aragon, *Le roman inachevé*, 1956.

3 **Trouvez l'hyperbole dans le texte suivant[4] et dites quel sentiment dominant du narrateur est mis en évidence par cette figure.**

> «Je vis les arbres s'éloigner en agitant leurs bras désespérés [...] j'étais triste comme si je venais de perdre un ami, de mourir à moi-même, de retirer un mort ou de méconnaître un dieu.»

---

4 **Lisez les textes suivants décrivant tous les trois le vent et relevez les éléments qui distinguent ces descriptions.**

a) Cette nuit, je n'ai pas pu dormir. Le vent a soufflé très fort, et le bruit qu'il a fait m'a tenu éveillé jusqu'au matin.

b) «Cette nuit je n'ai pas pu dormir. Le mistral était en colère, et les éclats de sa grande voix m'ont tenu éveillé jusqu'au matin.»

(Alphonse Daudet, *Lettres de mon moulin*)

c) «Le vent, un vent d'octobre félin et sournois, qui tantôt faisait le mort, comme muet, l'œil clos, griffes rentrées, allongé mollement au ras des joncs secs, et insoucieux de rider même d'un pli la surface de l'eau, maintenant grimpé au faîte des branches, secouait les arbres à les déraciner.»

(Germaine Guèvremont, *Le Survenant*)

---

4 Proust, *À l'ombre des jeunes filles en fleurs*, 1919.

CHAPITRE 2

AMÉLIORER ses **phrases**

Les marqueurs de relation

Les **marqueurs de relation** sont des mots, des groupes de mots ou des phrases qui servent à faire des **liens** entre des **mots**, des **groupes de mots**, des **phrases** ou différentes **parties d'un texte**.
Les marqueurs de relation établissent des **liens de sens** entre :

- des mots
  Exemple :
  Ray était *perdu* **mais** *déterminé*. (opposition)
- des groupes de mots
  Exemple :
  Ray était *replié sur lui-même* **et** *désintéressé de l'école*. (ajout)
- des phrases coordonnées
  Exemple :
  Ray a obtenu une place à Concordia, **car** il est sérieux et concentré. (cause)
- des phrases autonomes juxtaposées
  Exemple :
  Ray est pris en charge par le Wapikoni ; **de plus**, il fera un stage dans un studio d'animation à Paris. (ajout)
- une phrase subordonnée et la phrase principale (autonome)
  Exemple :
  Ray devait découvrir un sens à sa vie, **avant que** la dépression le gagne. (temps)
- différents paragraphes d'un texte
  Exemple :
  D'abord, le Wapikoni est toujours attendu avec impatience dans les réserves. Le studio ambulant suscite beaucoup d'intérêt chez les adolescents.
  De plus, c'est gratuit. Les jeunes sont libres d'y venir en tout temps et sont accueillis à bras ouverts. Tous sont les bienvenus pour s'initier au cinéma ou à la musique.
  Enfin, le Wapikoni aide à la découverte de nombreux talents. Plusieurs autochtones ayant fait leurs premières armes dans le studio ambulant ont gagné des prix prestigieux.

Le sens d'une phrase change selon le marqueur de relation utilisé.

Exemple :
Ray est vraiment fier **depuis que** son film est projeté dans une vraie salle de cinéma. (indique le temps)
Ray est vraiment fier **parce que** son film est projeté dans une vraie salle de cinéma. (indique la cause)

Le marqueur n'est pas toujours placé en tête de phrase.

Exemple :
Ray peut **en effet** être fier de cette brillante réalisation.

Selon le contexte, **divers marqueurs de relation** peuvent avoir **le même sens**. Il faut donc éviter de les utiliser ensemble.

Exemples :

- Plusieurs jeunes artistes autochtones ~~comme par exemple~~ Samian, Deejay Elmo et Érik Papatie sont reconnus grâce au projet Wapikoni.

  Plusieurs jeunes artistes autochtones **comme** Samian, Deejay Elmo et Érik Papatie sont reconnus grâce au projet Wapikoni.

  Plusieurs jeunes artistes autochtones, **par exemple** Samian, Deejay Elmo et Érik Papatie, sont reconnus grâce au projet Wapikoni.

- ~~À mon avis, personnellement,~~ je crois que Ray a le cœur à la bonne place.

  À mon avis, Ray a le cœur à la bonne place.

  Personnellement, je crois que Ray a le cœur à la bonne place.

Les marqueurs de relation les plus utilisés

Le tableau ci-dessous regroupe les principaux marqueurs de relation selon leur rôle dans la phrase ou dans le texte.

Les marqueurs appartenant à une catégorie ne sont pas nécessairement tous des synonymes et ne sont donc pas toujours interchangeables. Avant d'utiliser un marqueur, il est utile de chercher sa signification dans un dictionnaire.

LES PRINCIPAUX MARQUEURS DE RELATION			
Rôle			
Pour faire progresser des idées	Ces marqueurs sont surtout employés dans les textes informatifs, explicatifs, descriptifs et argumentatifs.		
	Marqueurs de relation		**Exemples**
Introduire une idée	Au premier abord Avant tout D'abord D'un côté D'une part	En premier lieu* Pour commencer Premièrement** Tout au début Tout d'abord	**D'abord**, la reconnaissance de la culture autochtone est essentielle.
	* Ce marqueur doit être suivi plus loin de *en second lieu* (ou de *en deuxième lieu* si l'énumération est constituée de plus de deux éléments), *en troisième lieu*, etc. ** Ce marqueur doit être suivi plus loin de *deuxièmement*, *troisièmement*, etc.		
Indiquer une suite	Alors D'ailleurs Dans le même ordre d'idées De plus	En outre En second lieu Ensuite Par la suite Puis	**Alors**, le travail de partage des points de vue et des œuvres peut débuter entre différentes cultures.
Marquer la suite et introduire un autre sujet	À propos de Au sujet de Cela dit Dans un autre ordre d'idées D'autre part Du point de vue de D'un autre côté	D'un autre point de vue En ce qui a trait à En ce qui concerne En ce qui touche Par ailleurs Pour ce qui est de Quant à Relativement à	**Cela dit**, il ne faut pas ignorer les conséquences des préjugés.

LES PRINCIPAUX MARQUEURS DE RELATION		
Marquer la fin, la conclusion	Ainsi Bref C'est pourquoi Donc En conclusion En conséquence* En définitive En fin de compte En résumé En somme Enfin Finalement Par conséquent* Pour conclure Pour terminer Somme toute * Marque aussi la conséquence.	**Enfin**, il est vraiment enrichissant de s'intéresser à ces gens à la fois si proches et si loin.
Rôle		
Pour expliquer, préciser, illustrer une idée	Ces marqueurs sont surtout employés dans les textes informatifs, explicatifs, descriptifs et argumentatifs.	
	Marqueurs de relation	**Exemples**
Introduire un exemple, une explication	Ainsi Alors Autrement dit Car Ce qui explique Ce qui signifie Ce qui veut dire Ceci évoque Ceci fait penser à Ceci se rapproche de C'est-à-dire C'est pourquoi Comme D'ailleurs En d'autres termes En effet En fait Par exemple Pour ainsi dire	**En effet**, Ray était perdu, **c'est-à-dire** qu'il ne savait pas quoi faire de sa vie. **Alors**, on comprend pourquoi l'arrivée du Wapikoni l'a sorti de sa torpeur. **En fait**, le cinéma d'animation lui a permis de se révéler à lui-même.
Reformuler une idée	Autrement dit En d'autres mots En d'autres termes En un mot	Ray pense qu'il n'y a rien de plus important que d'être vrai. **Autrement dit**, quand le cœur n'y est pas, la vie ne vaut pas grand-chose.
Marquer une opposition ou une restriction	À la différence de À l'inverse À l'opposé Au contraire Au lieu de Cependant Contrairement à D'ailleurs En dépit de En revanche Inversement Mais Malgré tout Néanmoins Par contre Pourtant Tandis que Toutefois	Pour Ray, la création par l'art visuel est essentielle. **Cependant**, elle peut exposer une grande souffrance. **Contrairement à** ce que les médias laissent penser, la jeunesse des communautés autochtones est animée d'espoir. **En dépit de** leurs parents alcooliques, les jeunes luttent pour s'en sortir. **Toutefois**, ils n'ont pas la vie facile. Samian est devenu une vedette du rap, **tandis que** Deejay Elmo vient de signer un contrat de disque avec Universal.
Marquer un rappel	À cet égard Ainsi que nous l'avons déjà mentionné Comme il vient d'être dit Comme nous l'avons déjà signalé Comme nous venons de le voir Comme on l'a déjà vu Compte tenu de ce qui précède De ce point de vue Donc En ce qui concerne Il faut se rappeler que Il suffit de rappeler que	**Comme nous l'avons déjà mentionné**, le projet Wapikoni est salvateur pour les jeunes des réserves autochtones. **De ce point de vue**, ce studio ambulant doit à tout prix continuer ses visites.

LES PRINCIPAUX MARQUEURS DE RELATION			
Marquer son accord ou renforcer une affirmation	À vrai dire Bien entendu Bien sûr Certes C'est vrai De toute évidence Effectivement En effet En fait En réalité	En vérité Évidemment Il est hors de doute que Il faut souligner que Il va de soi que J'attire votre attention sur Justement Quoi qu'on en dise Sans aucun doute	**Il est hors de doute que** les jeunes ont une meilleure estime d'eux-mêmes quand ils réussissent un projet cinématographique. **Évidemment**, il y a beaucoup de travail derrière ces petites victoires. **Sans aucun doute**, l'équipe du Wapikoni est convaincue que cela en vaut largement la peine.
Marquer une réserve	Bien entendu... mais Bien sûr... cependant Certes... cependant C'est un fait... mais D'accord... par contre	Indéniablement... toutefois Sans doute... mais Soit... néanmoins	**Bien entendu**, certains jeunes autochtones abandonnent, **mais** d'autres débordent d'idées novatrices.
Marquer une alternative	Ou... ou Ou bien... ou bien Soit... soit	Soit que... soit que Tantôt... tantôt	**Ou bien** Ray va aux ateliers du Wapikoni, **ou bien** il reste à broyer du noir dans sa chambre.
Marquer un ajout	Ainsi que Autrement dit D'ailleurs De même que De plus	En outre En plus (de) Et Par ailleurs	**En plus d'**initier les jeunes à la création vidéo et musicale, le Wapikoni les sauve d'eux-mêmes.
Donner son point de vue	À mon avis D'après moi De mon point de vue En ce qui me concerne	Personnellement Pour ma part Quant à moi Selon moi	**À mon avis**, Ray suit un parcours exceptionnel.
Rôle			
Pour marquer une circonstance	Ces marqueurs sont surtout employés dans les textes narratifs, informatifs, explicatifs et descriptifs.		
	Marqueurs de relation		**Exemples**
Le temps	Après que + indicatif Au début Au moment où Aujourd'hui Avant de + infinitif Avant que + subjonctif Ce jour-là De temps en temps Depuis ce temps Depuis que Enfin	Ensuite Finalement Il était une fois La veille Le lendemain Lorsque Maintenant Pendant (ce temps) Plus tard Puis	**Avant de** présenter son film, Ray a remercié les gens du Wapikoni. **Ce jour-là**, c'était la première du long métrage *Le vrai du faux*. **Après que** Ray a salué son mentor, la projection a commencé. **Maintenant**, Ray est un jeune Micmac plein de passion. **Plus tard**, il mettra cette passion à profit à l'université. **Finalement**, il fera un stage chez Pixar.
Le lieu	À côté de Au bord de Au fond de Au loin Au milieu Au nord de Derrière	Devant En face de En haut de Près de Sur Un peu plus loin	**Derrière** le village de Ray, en Gaspésie, il y a de grands espaces et, **un peu plus loin**, on voit le Saint-Laurent. **Au bord du** fleuve, c'est calme.

LES PRINCIPAUX MARQUEURS DE RELATION			
La cause	À cause de À la suite de Car Comme Du fait que En raison de	Étant donné que Grâce à Parce que Puisque Sous prétexte que Vu que	**À cause de** leur manque de motivation, certains jeunes ne savent pas quoi faire de leur vie. Certains jeunes ne savent pas quoi faire de leur vie **parce qu'**ils manquent de motivation. **Grâce à** la création, ils retrouvent une raison de vivre.
La conséquence	Ainsi Ce qui signifie que C'est ainsi que C'est pourquoi Conséquemment De ce fait De manière que	De sorte que Donc En conséquence En effet Par conséquent Pour cette raison	Certains jeunes sont incapables de répondre à la difficulté du programme de cinéma à Concordia. **Par conséquent**, ils abandonnent en cours de route. Ils ne sont pas prêts à affronter la vive compétition, **de sorte qu'**ils se découragent.
La condition	À condition de + infinitif À condition que + subjonctif	Pourvu que + subjonctif Si	La direction de Concordia a accepté Ray dans le programme de cinéma **à condition qu'**il soit sérieux. Ray est accepté à Concordia **à condition de** prouver son sérieux.
Le but	À cet effet À cette fin Afin de + infinitif Afin que + subjonctif Dans ce but Dans l'intention de De peur (crainte) de + infinitif	De peur (crainte) que + subjonctif En vue de Pour Pour que + subjonctif	**Afin d'**améliorer ses dessins, Ray a accepté de faire appel à un mentor. **Afin qu'**il puisse s'améliorer, Ray a accepté la supervision d'un mentor.
La manière	De cette façon De façon à De sorte que	Pour ce faire Pour cela	Denise Robert a jumelé le court métrage de Ray avec le film d'Émile Gaudreault. **De cette façon**, elle met de l'avant le thème de l'authenticité.
L'exception	À l'exception de À moins de + nom / infinitif À moins que + subjonctif	Ceci annule Ceci exclut Excepté Sauf que Sauf si	Les courts métrages d'animation nécessitent une énorme quantité de dessins, **à moins que** la façon de procéder ne change.

Source : Adapté de Louise ARCHAMBAULT et Maria POPICA, *Le condensé*, 2014, p. 107-112.

❶ **Étudiez les paragraphes du texte suivi ci-dessous et faites les exercices.**

a) Ajoutez des marqueurs de relation en choisissant le marqueur approprié dans la liste suivante.

À cet égard • En effet • Bref • De plus • Certes • Ainsi

Le cœur sur la main[1]

Deux-mille-cent-soixante-six: c'est le nombre de dessins que Raymond Caplin a réalisés de ses mains dans le sous-sol de ses parents à Listuguj (Restigouche), en Gaspésie: 2166!

_______________ [, p]endant des mois et des mois, sans jamais abandonner ni se décourager, le jeune décrocheur micmac de 21 ans a empilé les dessins jusqu'à ce qu'ils constituent la trame fluide d'un court métrage de trois minutes. _______________ [, l]e film s'intitule *Dans ton cœur – In your heart* et dès le 9 juillet, il sera présenté au cinéma Beaubien avant chaque séance de la comédie *Le vrai du faux* d'Émile Gaudreault.

_______________ [,] Ray n'est pas le premier cinéaste autochtone à avoir un film projeté dans une vraie salle de cinéma. _______________ [, à] la sortie du film *L'âge des ténèbres* en 2007, la productrice Denise Robert avait jumelé le film avec un court métrage d'Érik Papatie. _______________ [, e]lle a répété l'expérience à la sortie d'*Omertà*, puis du *Règne de la beauté*. Chaque fois, un lien thématique faisait le pont entre les deux films. Dans le cas du film de Ray, c'est le thème de l'authenticité qui a primé. _______________ [, l]e film de Ray parle de la nécessité d'être vrai et de faire les choses le cœur sur la main, en somme. On voit d'ailleurs son personnage de musicien s'arracher le cœur de la poitrine pour le glisser à travers la rosace dans le tronc de sa guitare. Son message est simple: quand le cœur n'y est pas, la vie ne vaut pas cher.

b) Ajoutez des marqueurs de relation dans le paragraphe ci-dessous en choisissant le marqueur approprié dans la liste suivante.

Ainsi • Puis • Bien entendu • Ensuite • Finalement

_______________ [,] Ray Caplin en sait quelque chose. Avant l'arrivée dans sa communauté du Wapikoni mobile, un studio ambulant créé par Manon Barbeau pour initier les jeunes des Premières Nations à la création vidéo et musicale, Ray était perdu. _______________ [, r]eplié sur lui-même, il avait abandonné l'école et passait ses journées à dessiner et à broyer du noir dans sa chambre. _______________ [, à] l'été 2012, le Wapikoni est entré dans la réserve de Ray avec sa carrosserie en inox qui scintillait au soleil. _______________ [, l]es enfants se sont approchés, de même qu'un électricien – le père de Ray – chargé de brancher l'engin sur le courant. _______________ [, à] la blague, le père a dit à l'équipe de terrain qu'il allait lui envoyer son fils, qui ne faisait rien de ses journées. Les gens du Wapikoni lui ont répondu sans rire que son fils était plus que le bienvenu.

---

1 Source: Adapté de Nathalie Petrowski, *La Presse*, 25 juin 2014.

c) Encerclez les marqueurs de relation dans le paragraphe suivant.

Le lendemain, Ray s'est pointé avec ses cheveux au charbon, ses lèvres percées de trois anneaux et une pile de dessins. Ce fut le début d'une miraculeuse histoire : l'histoire d'un talent qui a explosé et d'un jeune Micmac qui a trouvé sa raison d'être et son cœur. Dès les premiers jours, Ray fut pris en charge par un formateur, un Péruvien du nom de Marco Luna qui lui proposa d'être son mentor et qui l'est resté jusqu'à ce jour.

d) Ajoutez des marqueurs de relation dans le paragraphe ci-dessous en choisissant le marqueur approprié dans la liste suivante.

En fait • Ainsi que (qu') • Aussi • Et

_______________ [,] Ray Caplin n'est pas le seul fleuron glorieux de la bande du Wapikoni. Avant lui, il y a eu Samian, devenu une vedette du rap, Louis-Philippe Moar (Deejay Elmo) de Manawan, qui vient de signer un contrat de disque avec Universal, _______________ Érik Papatie, qui a gagné le prix du public Astral en 2010 pour son film *Glitch*, _______________ Emilio Wawatie, qui s'est rendu récemment à l'ONU, à New York, pour accepter une mention d'honneur pour le Wapikoni. _______________ [, le Wapikoni a formé] des filles fortes, dynamiques et douées comme Marie-Pier Ottawa ou Elisa Moar.

e) Ajoutez des marqueurs de relation dans le paragraphe ci-dessous en choisissant le marqueur approprié dans la liste suivante.

Tout au début • Mais • Par la suite • Sans aucun doute • En fin de compte • D'abord

_______________ [, l]a particularité de Ray, c'est l'incroyable vitesse de son évolution. _______________ [, à] l'été 2012, Ray était un jeune Micmac sans avenir. _______________ [, l]'été suivant, la force de ses dessins lui a valu une invitation à la prestigieuse École de l'image les Gobelins à Paris, où il a fait un stage en compagnie des maitres de l'animation de Pixar et de Disney. _______________ [, e]n avril dernier, et cela, même s'il n'a pas terminé son secondaire, Ray a été accepté en cinéma à Concordia. C'est dire que son talent lui a permis de surmonter deux obstacles majeurs : _______________ un programme très contingenté où la compétition est vive, mais aussi la crainte de la direction que Ray soit comme trop de jeunes autochtones qui, une fois acceptés à l'université, abandonnent en cours de route, incapables de répondre à la lourdeur et à la difficulté du programme. Or, avec l'aide de Marco Luna, Ray a convaincu la direction de Concordia qu'il était sérieux, concentré, et qu'il méritait sa place à l'université. _______________ [, i]l l'a obtenue.

f) Encerclez les marqueurs de relation dans le paragraphe suivant.

J'ai rencontré Ray à la première du *Vrai du faux* à la Place des Arts. Devant 1400 personnes, je l'ai vu prendre la parole pour remercier le Wapikoni et dire comment cette main tendue dans le désert a changé sa vie. L'avenir dira jusqu'où cette aventure mènera Ray Caplin. Chose certaine, en voilà un qui semble bien parti avec, en plus, le cœur à la bonne place.

❷ **Relisez les sept paragraphes des pages 40 et 41 et remettez les phrases dans le bon ordre en utilisant les marqueurs de relation de votre choix pour les introduire ou les lier.**

a) ☐ ____________________, il leur a montré ses nombreux dessins.

b) ☐ ____________________, Ray est allé voir les gens dans le studio mobile.

c) ☐ ____________________, Ray a été accepté en cinéma à l'Université Concordia.

d) ☐ ____________________, Marco Luna est devenu son mentor.

e) ☐ ____________________, le Wapikoni mobile est entré dans la réserve.

f) ☐ ____________________, il a pris Ray sous son aile pour lui montrer les rudiments du métier.

g) ☐ ____________________, Ray était un jeune décrocheur micmac sans avenir.

❸ **Relisez les sept paragraphes des pages 40 et 41 et remettez les phrases dans le bon ordre en utilisant les marqueurs de relation de votre choix pour les introduire ou les lier.**

a) ☐ ____________________, les jeunes des Premières Nations font face à de nombreux problèmes dans leur entourage.

b) ☐ ____________________, les adolescents abandonnent l'école.

c) ☐ ____________________, ils peuvent faire preuve de beaucoup de créativité.

d) ☐ ____________________, ils deviendront la fierté de leur communauté.

e) ☐ ____________________, leurs familles sont souvent dysfonctionnelles à cause de l'alcoolisme et de la violence.

f) ☐ ____________________, ils n'ont pas de projet de vie.

g) ☐ ____________________, ils feront connaitre leur culture et leur mode de vie par leurs œuvres musicales et cinématographiques.

h) ☐ ____________________, il faut leur donner la chance d'exploiter leur potentiel.

Les procédés de reprise de l'information

La reprise de l'information consiste à remplacer des éléments déjà nommés dans la phrase par d'autres mots (pronom, nom, adjectif, adverbe, etc.) pouvant remplir la même fonction. On appelle ces mots des substituts. En plus de rendre le texte plus dynamique et d'en maintenir l'unité, ces substituts permettent aussi de préciser les idées du texte, de fournir au lecteur des renseignements plus étoffés et d'éviter d'alourdir le texte par des redondances ennuyeuses.

Le tableau suivant présente les principaux procédés de reprise de l'information et les substituts à employer pour chacun.

PRINCIPAUX PROCÉDÉS DE REPRISE DE L'INFORMATION	
Procédés et types de substituts	**Exemples**
1. Reprise par un pronom	
a) Reprise totale	
• par un pronom personnel de la 3e personne	Ray s'est inscrit à Concordia et **il** a été accepté en cinéma.
• par un pronom démonstratif	Les jeunes aiment le cinéma, parce que **c'**est stimulant.
b) Reprise partielle	
• par un pronom indéfini	Tous les jeunes attendent à l'entrée. **Certains** fument, **d'autres** non.
• par un pronom numéral	Sur les 700 candidats, **50** ont été choisis.
• par un pronom possessif	Sa chance est unique, **la tienne** viendra bientôt.
• par un pronom démonstratif	Son film est très touchant, mais le jury préfère **celui** de Ray.
2. Reprise par un groupe du nom (GN)	
a) Reprise totale	
• par le même nom avec un déterminant différent	Le jeune veut s'en sortir. **Ce jeune** aura besoin d'aide.
• par un synonyme	Les éducateurs aident les jeunes. Ces **pédagogues** jouent un rôle important dans la communauté.
• par un terme générique	Le vieux raconte une légende micmaque. Cette **histoire** fascine les plus jeunes.
• par un terme synthétique	Le taux de suicide est élevé. Cette **statistique** est alarmante.
• par une périphrase	On a tort de négliger la culture autochtone ; le **berceau de notre civilisation** peut nous en apprendre beaucoup !
• par nominalisation (en changeant le mot par un nom de la même famille)	Les parents sont violents avec leurs enfants. Cette **violence** est difficile à vivre pour la famille.
b) Reprise partielle	
• par un groupe du nom (GN)	Parmi toutes les réserves autochtones, seulement **quelques communautés** sont subventionnées.
• par association	Le Wapikoni mobile arrive. Ses **pneus** qui crissent et sa **carrosserie** qui rutile attirent les enfants.
3. Reprise totale par un adverbe	
• alors, ici, là, là-bas	La journaliste arrive au théâtre, c'est **là** qu'elle rencontre Ray.
• ainsi, également	Le professeur de Ray est fier de son élève, son père **également**.
4. Reprise totale par répétition	
• du pronom *je*	Je souhaite que mon fils réussisse, **je** ne veux que du bonheur pour lui.
• du groupe du nom (GN)	Le cinéma permet de s'exprimer, **le cinéma** libère !

Précision sur la reprise de l'information par un pronom

Lorsqu'il y a reprise par un pronom (partielle ou totale), le pronom doit être du même genre et du même nombre que le GN auquel il se substitue et il faut accorder le verbe en conséquence.

Exemples :

La bande du Wapikoni débor**de** d'énergie créatrice. **Elle** se démarq**ue** en musique et en cinéma.

Les jeunes de la bande du Wapikoni débord**ent** d'énergie créatrice. **Ils** se démarqu**ent** en musique et en cinéma.

1 Dans la deuxième phrase de chaque numéro, faites une reprise totale de l'information soulignée dans la première phrase. D'une réponse à l'autre, variez les types de substituts utilisés pour remplacer les mots soulignés.

a) Les journalistes attendent impatiemment que les comédiens sortent des limousines pour les prendre en photo.

Les paparazzis veulent être les premiers à voir ____________________ sous leur vrai jour.

b) Ray étudiera à Paris pour se perfectionner.

____________________, il fera un stage.

c) Les films québécois sont de plus en plus populaires à l'étranger.

____________________ leur permet d'être dans la course aux Oscars.

d) Le taux de réussite de ce programme est très satisfaisant.

____________________ est rassurante.

e) Les retardataires entrent précipitamment dans la salle de cinéma.

____________________ s'assoient sans faire de bruit.

2 Dans les extraits suivants, la deuxième phrase contient une erreur dans le choix du pronom de reprise. Celui-ci ne correspond pas au GN auquel il se substitue. Soulignez ce GN et faites les corrections nécessaires.

a) Une petite foule attendait impatiemment le Wapikoni. À l'arrivée du véhicule dans le stationnement de la réserve, ils se sont approchés.

b) Le film de Ray interpelle profondément le spectateur. Il leur parle de la nécessité d'être vrai et de faire les choses le cœur sur la main, en somme.

c) À la sortie du film *L'âge des ténèbres* en 2007, la productrice Denise Robert avait jumelé le film avec un court métrage d'Érik Papatie. Ils ont répété l'expérience à la sortie d'*Omertà*, puis du *Règne de la beauté*.

d) À la blague, le père a dit à l'équipe de terrain qu'il allait leur envoyer son fils, qui ne faisait rien de ses journées.

e) Le studio ambulant Wapikoni a sauvé Ray. Ils ont initié ce jeune rebelle à la création vidéo.

f) À la première du *Vrai du faux* à la Place des Arts, Ray s'est adressé à l'assistance pour remercier le Wapikoni. Il leur a dit comment cette main tendue dans le désert avait changé sa vie.

g) La création de Ray s'intitule *Dans ton cœur – In your heart* et dès le 9 juillet, il sera présenté au cinéma Beaubien avant chaque séance de la comédie *Le vrai du faux* d'Émile Gaudreault.

h) La communauté autochtone trouve une voix à travers les films créés par les jeunes. Ils se reconnaissent dans ces courts métrages intimistes.

i) La jeunesse des réserves indiennes espère briser les préjugés face à la culture et au mode de vie autochtones. Ils veulent se faire connaitre à travers le quotidien montré dans les films.

❸ **Trouvez un mot ou un groupe de mots pour remplacer le mot film dans le paragraphe suivant. Choisissez parmi les options suggérées.**

œuvres • long métrage • cette production • créations • court métrage • chef-d'œuvre • cette fiction

Ray n'est pas le premier cinéaste autochtone à avoir un film projeté dans une vraie salle de cinéma. À la sortie du ~~film~~ *L'âge des ténèbres* en 2007, la productrice Denise Robert avait jumelé ~~le film~~ avec un court métrage d'Érik Papatie. Elle a répété l'expérience à la sortie d'*Omertà*, puis du *Règne de la beauté*. Chaque fois, un lien thématique faisait le pont entre les deux ~~films~~. Dans le cas du ~~film~~ de Ray, c'est le thème de l'authenticité qui a primé.

Les procédés de mise en relief

Certains procédés de mise en relief permettent d'insister sur un élément de la phrase en le déplaçant seulement, en l'encadrant en plus ou en le répétant. Ces changements évitent la monotonie et ajoutent de l'émotion au texte.

Exemple :

Clowns sans frontières terminera sa tournée au Congo **en septembre**.

En septembre, *Clowns sans frontières* terminera sa tournée au Congo.

Au Congo, **en septembre**, la tournée se terminera pour *Clowns sans frontières*.

On peut mettre en relief les éléments choisis en les plaçant au début de la phrase, suivis d'une virgule, pour ensuite les reprendre en les remplaçant par le pronom approprié.

Exemple :

Ces enfants sont abandonnés de tous et ne font rien de leurs journées.

Ces enfants, ils sont abandonnés de tous et ne font rien de leurs journées.

On peut aussi utiliser les marqueurs emphatiques *c'est... qui* et *c'est... que*. Si l'on souhaite mettre en évidence le groupe sujet de la phrase, on utilisera *c'est... qui*. Si l'on souhaite mettre en évidence un complément du verbe ou un complément de phrase, on utilisera *c'est... que*. Les groupes de mots *c'est... qui* et *c'est... que* deviennent alors sujets de la phrase.

Exemples :

- **Patch Adams** a permis à Guillaume Vermette de faire le métier de clown en Russie.
  C'est **Patch Adams** qui a permis à Guillaume Vermette de faire le métier de clown en Russie.
- Dans le Grand Nord québécois, *Clowns sans frontières* donne **de la joie** aux enfants.
  Dans le Grand Nord québécois, c'est **de la joie** que *Clowns sans frontières* donne aux enfants.

Lorsque le groupe de mots mis en évidence commence par une préposition, celle-ci reste attachée au groupe et se déplace avec lui.

Exemple :

Guillaume a appris l'existence de *Clowns sans frontières* **grâce à ses recherches assidues**.

C'est **grâce à ses recherches assidues** que Guillaume a appris l'existence de *Clowns sans frontières*.

1 **Dans les phrases suivantes, déplacez les groupes afin de varier les énoncés.**

a) Les enfants attendent l'arrivée des clowns pendant des heures.

____

b) Guillaume est envahi d'émotions contradictoires par moments.

____

c) La foule silencieuse regarde le funambule marcher sur le fil de fer.

____

d) Yahou fait rire les spectateurs avec ses grimaces et ses culbutes.

____

e) Des confettis et des ballons volent dans tous les coins de la salle sous le regard amusé des enfants.

____

2 **Mettez en relief le groupe de mots souligné en le plaçant en tête de phrase et en le reprenant à l'aide d'un pronom.**

a) Les orphelins apprécient chaque moment passé en compagnie des clowns.

____

b) Yahou réserve ses meilleurs numéros pour la fin de la représentation.

____

c) Guillaume a coiffé cette perruque pour s'improviser clown.

____

d) Ces jeunes avaient vraiment besoin du rire et de l'empathie.

____

3 **Utilisez *c'est/ce sont... qui/que* pour mettre en relief les éléments soulignés.**

a) Yahou est réellement en relation avec les personnes qu'il croise.

____

b) Le cirque arrive en ville ce soir.

____

c) Guillaume (alias Yahou) prend part à des spectacles de cirque engagé.

____

d) Yahou veut être là pour les gens.

____

e) Yahou peut agir de manière concrète dans la vie des orphelins.

____

La ponctuation

La ponctuation sert à organiser un texte et à le rendre compréhensible. Elle permet d'agencer les mots, les groupes de mots et les phrases. Elle ajoute aussi certaines informations sur les sentiments que transmet l'auteur du texte et précise l'intonation de certaines phrases. De plus, elle marque les pauses nécessaires à la lecture du texte.

Le tableau suivant présente les principaux signes de ponctuation.

LES PRINCIPAUX SIGNES DE PONCTUATION

Signe	Utilisation	Exemples
Le point .	Il s'emploie pour indiquer la fin d'une phrase : • déclarative ; • impérative ; • interrogative indirecte.	 Guillaume est un clown sans frontières**.** Regardons le spectacle**.** Je me demande combien d'enfants sont orphelins à Moscou**.**
Le point d'interrogation ?	Il s'emploie pour indiquer la fin d'une phrase : • interrogative directe ; • déclarative (tournure interrogative) ; • non verbale interrogative.	 Combien d'enfants vivent à Moscou **?** Vous les avez vus **?** Quand **?** Où **?**
Le point d'exclamation !	Il s'emploie pour indiquer la fin d'une phrase : • exclamative ; • déclarative (qui a un sens exclamatif) ; • impérative ; • non verbale exclamative. Le point d'exclamation s'emploie également après une interjection.	 Comme Yahou le clown est drôle avec son nez rouge **!** Tu vois qu'il est drôle **!** Allons voir le spectacle **!** Bravo, les acrobates **!** Chut **!**
Les points de suspension ...	Ils s'emploient : • pour indiquer que l'énumération ou l'idée est incomplète ; • entre crochets, pour indiquer qu'une citation est incomplète. *Remarques :* Si les points de suspension terminent la phrase, on ne met pas de point final. Après *etc.*, on ne met pas de points de suspension. On met un point abréviatif.	 Le rouge, le jaune, le bleu**...** toutes les couleurs sortent du chapeau du magicien. Le lapin est toujours invisible, mais [**...**] Voici les acrobates, les cracheurs de feu, les jongleurs**...** Voici les acrobates, les cracheurs de feu, les jongleurs, etc**.**
Le point abréviatif .	Il s'emploie pour indiquer qu'il manque des lettres dans un mot abrégé. *Remarque :* On ne met pas de point abréviatif : • si l'abréviation contient la dernière lettre du mot ; • aux abréviations de mesures : temps, longueur, poids, etc.	**M.** Sol et **M.** Gobelet habitent au 2, **boul.** Trois, **app.** 4. Au spectacle de 14 **h**, **Dr** Clown soulèvera les 59 **kg** que pèse **Mme** Capucine.

LES PRINCIPAUX SIGNES DE PONCTUATION		
Signe	**Utilisation**	**Exemples**
La virgule ,	Elle s'emploie :	
	• entre les éléments d'une **énumération**, sauf avant le dernier élément s'il est introduit par une conjonction de coordination (*et*, *ou*) ;	Voici les acrobates**,** les cracheurs de feu**,** les jongleurs et les clowns.
	• entre les **phrases juxtaposées** ;	M. Sol est un clown triste**,** M. Gobelet est rigolo.
	• après le **complément de phrase**, lorsqu'il est placé en début de phrase ;	Ce soir**,** c'est la grande première !
	• généralement après les **marqueurs de relation** placés au début de la phrase ;	En effet**,** c'est très original comme numéro.
	• après les **mots mis en apostrophe** en début de phrase ;	Dr Clown et Mme Capucine**,** que vous êtes drôles !
	• généralement devant la **conjonction de coordination** (*mais*, *car*, *puis*, *ensuite*, etc.) lorsque celle-ci unit deux phrases ;	Tout est silencieux sur la scène**,** mais ce n'est pas fini !
	• pour indiquer qu'un élément de phrase a été **effacé** (ellipse) ;	Patch Adams a plusieurs années d'expérience en Russie ; Guillaume Vermette**,** quelques-unes seulement.
	• devant les conjonctions de coordination *et*, *ou*, *ni*, **si et seulement si** elles sont utilisée **au moins trois fois.**	Parfois, il n'y a ni espoir**,** ni douceur**,** ni beauté en zone de guerre.
Deux virgules , ,	Elles s'emploient pour encadrer :	
	• une **phrase incise** ;	« Riez**,** *dit-il***,** Dr Clown est là ! »
	• une **phrase participiale** ou **infinitive** placée dans la phrase ;	Les clowns sans frontières**,** *ayant terminé leurs spectacles en Russie***,** partent pour la bande de Gaza.
	• un **complément de phrase** placé au milieu de la phrase ;	Son agilité**,** *dès le début du spectacle***,** a été applaudie.
	• une **subordonnée complément de phrase** placée à l'intérieur d'une phrase matrice ;	Leurs yeux**,** *dès que le spectacle commence***,** brillent de plaisir.
	• des **mots** mis en apostrophe ;	Voyez**,** *mesdames et messieurs***,** l'adresse de nos trapézistes !
	• un **pronom** qui reprend ce qui vient d'être dit ;	Les enfants**,** *eux***,** sont émerveillés.
	• une **expression** qui s'insère dans une phrase.	Il y a**,** *fort heureusement***,** des gens de cœur impliqués dans cette cause.
Le point-virgule ;	Il s'emploie :	
	• pour séparer des phrases qui contiennent déjà des virgules ;	En Russie, Guillaume a visité orphelinats, hôpitaux, centres de sans-abris, foyers de personnes âgées et centres pour aveugles**;** c'était une expérience fantastique, magnifique.
	• à la place de la virgule, entre des phrases longues ou quand on veut marquer une pause plus longue ;	Parallèlement au volet humanitaire de sa carrière, Guillaume prend part à des spectacles de cirque engagé, de sensibilisation dans les écoles primaires**;** il sensibilise les élèves aux droits des enfants dans le monde, aux expériences qu'il a vécues.
	• à la fin d'une énumération par points, sauf après le dernier point.	Pour travailler à *Clowns sans frontières*, il faut : 1. de l'imagination**;** 2. de l'empathie**;** 3. de la générosité**;** 4. un nez rouge.

LES PRINCIPAUX SIGNES DE PONCTUATION		
Signe	**Utilisation**	**Exemples**
Le deux-points :	Il s'emploie : • pour annoncer une citation ou les paroles de quelqu'un dans le discours direct ; • pour introduire une énumération ; • pour introduire une conséquence ou une explication (: ⟶ *si bien que, donc, par conséquent*) ; • Pour introduire une explication (: ⟶ *parce que*).	Il y a des jeunes qui me disent **:** « Tu m'as vraiment donné le gout de m'en sortir. » *Clowns sans frontières* visite de nombreux pays **:** la Roumanie, le Rwanda, l'Afghanistan. Certains jeunes se suicident **:** ils sont trop désespérés.
Les parenthèses ( )	Elles s'emploient pour encadrer une explication ou une information supplémentaire que l'on peut effacer sans nuire au sens de la phrase.	Guillaume Vermette **(**alias Yahou**)** travaille à *Clowns sans frontières*.
Les crochets [ ]	Ils s'emploient : • pour encadrer une information qui ne fait pas partie de la citation, mais qu'il faut ajouter parce qu'elle est essentielle à la compréhension du message ; • pour signaler qu'on a coupé un passage dans une citation trop longue ; dans ce cas, il y a des points de suspension entre les crochets.	Ça fait 28 ans qu'il **[**Patch Adams**]** va en Russie chaque année. Pendant le mois où j'ai été là, **[**...**]** j'ai eu des confidences horribles.
Les guillemets « »	Ils s'emploient : • pour encadrer une citation textuelle ; • pour encadrer les paroles dans le discours direct ; • pour encadrer une expression étrangère ; • pour mettre l'accent sur un mot, une expression dans une phrase.	Guillaume Vermette explique : **«** Un clown ne fait pas de blagues comme un humoriste. **»** Il s'est dit aussitôt : **«** C'est ça que je veux faire dans la vie ! **»** L'organisation américaine **«** Clowns without borders **»** embrasse la même mission. Une fin de semaine, il a mis une **«** moumoute **»** et des accessoires, et il est allé voir les enfants.
Le tiret —	Il s'emploie pour indiquer le changement d'interlocuteur.	— Je m'appelle Guillaume Vermette. — Vous travaillez pour *Clowns sans frontières* ? — Oui, c'est vraiment ce qui compte le plus dans ma vie !
Les tirets – –	Ils s'emploient à la place des virgules pour mettre l'accent sur un **groupe de mots** ou une **phrase incise**.	*Clowns sans frontières* **–** un organisme sans but lucratif **–** parcourt le monde pour faire rire les plus défavorisés. Mon personnage **–** Yahou, qui porte un nez rouge et un casque d'aviateur **–** est réellement en relation avec les personnes qu'il croise.

Source : Adapté de Louise ARCHAMBAULT et Maria POPICA, *Le condensé*, 2014, p. 94-97.

exercices

1 Ajoutez les signes de ponctuation appropriés dans les phrases suivantes.

a) *Clowns sans frontières* un organisme à but non lucratif parcourt le monde pour égayer le quotidien des orphelins des malades et des réfugiés

b) Guillaume après avoir découvert l'existence de *Clowns sans frontières* a tout de suite su qu'il voulait en faire partie

c) Savez-vous combien il y a d'orphelins à Moscou Il y en a un million C'est terrible

d) Guillaume raconte Les orphelins n'ont aucune visite ne font rien de leurs journées

e) Lorsque les orphelins aperçoivent Guillaume au bout du corridor ils courent vers lui ils se bousculent pour arriver les premiers ils lui sautent dans les bras ils sont tellement heureux de le voir

f) Certains clowns basent leurs spectacles sur le mime d'autres exploitent l'acrobatie

2 Ponctuez le texte suivant en ajoutant un signe dans les espaces prévus à cet effet.

a) Choisissez parmi les signes suivants :

?	!	:	.	,	...	« »	( )

b) Utilisez-les au moins une fois chacun.

c) Mettez les majuscules pour indiquer le début des phrases.

Clowns sans frontières[2]

Qui sont ces clowns hors du commun chaque année partout dans le monde *Clowns sans frontières* organise des spectacles pour divertir les populations victimes de guerres de catastrophes naturelles de famine et d'exclusion le Québécois Guillaume Vermette alias Yahou fait partie de cette joyeuse troupe lorsqu'il a appris l'existence de *Clowns sans frontières* il s'est dit aussitôt C'est ça que je veux faire dans la vie Guillaume visite orphelinats hôpitaux centres de sans-abris foyers de personnes âgées les représentations sont toujours gratuites et ouvertes à tous ces prestations mettent du rire du rêve et de la poésie dans la vie des gens sans discrimination les spectateurs de tout âge religion appartenance politique sont les bienvenus avec ces clowns plaisir et espoir sont garantis

Le choix de la préposition

La préposition peut introduire, entre autres, un complément de phrase, un complément de verbe ou un complément du nom. On ne peut pas l'utiliser seule et elle ne peut pas terminer une phrase ; elle doit toujours être suivie d'une expansion. Elle ajoute des précisions à l'information.

2 Texte inspiré du site http://www.clownssansfrontieres.ca/ et de l'article de Roland Paillé « Un nez rouge qui peut sauver des vies », publié dans *Le Nouvelliste* du 14 janvier 2013.

Exemples :

C'est le casque **de** Yahou le clown. (introduit un complément du nom)
Yahou joue **avec** les enfants. (introduit un complément de verbe)

Le choix de la préposition dépend du sens que l'on veut donner à la phrase.

Exemples :

Le magicien fait apparaitre un lapin **sous** la table.
Le magicien fait apparaitre un lapin **sur** la table.

Le choix peut aussi dépendre des mots utilisés.

Exemples :

Guillaume se souvient **de** ses expériences en Russie.
Guillaume parle **à** ses collègues clowns.

Il est préférable de consulter le dictionnaire pour s'assurer de faire le bon choix de préposition. Pour ce faire, on peut consulter soit l'entrée de la préposition elle-même ou l'entrée du mot utilisé avec celle-ci.

Les prépositions ***à*** et ***de*** comportent quelques particularités. Lorsqu'elles se combinent avec les déterminants *le* et *les*, elles deviennent des déterminants définis contractés.

à + le = au   à + les = aux   de + le = du   de + les = des

Les combinaisons ***à la*** et ***de la*** restent inchangées.

Exemples :

Clowns sans frontières aide **au** (~~à + le~~) maintien de la paix dans le monde.

Clowns sans frontières participe **aux** (~~à + les~~) initiatives pour la paix dans le monde.

Clowns sans frontières aide **à la** promotion de la paix dans le monde.

Guillaume est convaincu **du** (~~de + le~~) bien que *Clowns sans frontières* peut faire.

Un simple nez rouge change la vie **des** (~~de + les~~) gens.

Un simple nez rouge amène **de la** joie dans les bidonvilles.

Le tableau suivant présente les principales prépositions simples.

LES PRINCIPALES PRÉPOSITIONS SIMPLES		
Prépositions	**Sens**	**Exemples**
à	appartenance	Ce casque d'aviateur est **à** Yahou.
	destination	Guillaume présente un spectacle **à** l'orphelinat.
	manière, moyen	Il fait son numéro **à** bicyclette.
	situation, direction	*Clowns sans frontières* est **à** Moscou dans un hôpital **à** l'ouest de la ville.
	temps	**À** la fin de la guerre, la vie sera plus facile.
de	appartenance	L'enfant touche le nez rouge **de** Yahou.
	cause	Cette situation en prison est **de** la faute des gardiens.
	manière	Les orphelins sautent **de** joie.
	matière	C'est une fleur **de** papier.
	origine	Guillaume revient **de** Russie.
	Note : Les prépositions *à* et *de* n'expriment pas toujours une valeur (ex. : J'apprends à...).	
en	direction	Les enfants regardent **en** avant vers la scène.
	manière, moyen	Ils observent le spectacle **en** souriant.
	situation, lieu	Les réfugiés essaient de fuir **en** lieu sûr.
	période	Ils vivent **en** temps de guerre.

LES PRINCIPALES PRÉPOSITIONS SIMPLES		
Prépositions	**Sens**	**Exemples**
par	cause explication manière, moyen origine, passage	Les malades sont touchés **par** le spectacle. Les enfants sont abandonnés **par** leurs parents. Les clowns font leur numéro deux **par** deux. La troupe passe **par** des frontières très surveillées.
pour	but, direction destination identification période	Il faut être sincère **pour** toucher les cœurs. *Clowns sans frontières* part **pour** la Mauritanie. **Pour** Guillaume, le rire est vital. *Clowns sans frontières* est en Inde **pour** le temps des fêtes.
sur sous	précision situation	On ne reconnait pas Guillaume **sous** son déguisement de clown. Les enfants s'assoient sagement **sur** les chaises.

exercices

1 Encerclez la bonne préposition pour compléter les phrases suivantes.

a) Le numéro ______ Yahou est très apprécié des orphelins.
à   de   par

b) Cette insécurité dans le camp de réfugiés est causée ______ les rebelles.
via   de   par

c) Yahou fait le tour de la piste ______ bicyclette.
à   sur   par

d) Un simple nez rouge peut parfois permettre ______ sauver des vies.
à   de   par

e) Mme Capucine se jette ______ les bras de son amoureux, Dr Clown.
entre   dans   sur

f) Le travail des enfants, ce n'est pas conforme ______ la Charte des droits et libertés de la personne.
à   avec   pour

g) Pour être un membre de la troupe *Clowns sans frontières*, il faut combiner le gout de l'aventure ______ un désir d'aider les autres.
à   avec   par

2 Modifiez la préposition soulignée pour obtenir des phrases correctes. Cherchez dans le dictionnaire le mot encadré et corrigez le déterminant au besoin.

a) Il y a de nombreux bénévoles qui [siègent] <u>sur</u> le comité d'organisation des activités de *Clowns sans frontières*.

b) L'acrobate [grimpe] <u>après</u> le poteau et atteint le trapèze.

c) Depuis qu'il a terminé ses études, Guillaume Vermette est [apte] <u>pour</u> occuper cet emploi de clown.

d) En zone de guerre, les civils impuissants sont [furieux] <u>après</u> le gouvernement qui les abandonne à leur triste sort.

e) À l'orphelinat, les dortoirs sont [contigus] <u>avec</u> les toilettes.

f) L'[alliance] de la force <u>à</u> l'agilité dans ce spectacle est parfaitement équilibrée.

Alléger la phrase

Lorsqu'on rédige un texte, on peut choisir de formuler des phrases simples qui suivent le modèle suivant :

Sujet (S) + Prédicat (P) + complément de phrase (CP) (facultatif)

Exemple :

(GN) / (GV) / (Gprép)
La crispation / est manifeste / dans la salle d'attente.
(S) / (P) / (CP)

On peut aussi opter pour des phrases complexes, c'est-à-dire des phrases simples liées entre elles par différents procédés comme la juxtaposition, la coordination ou la subordination, entre autres.

Exemples :

[Certains enfants dorment,] [d'autres attendent sagement.] (juxtaposition)

[Le personnel médical de l'organisme *Mission Sourires d'Afrique* travaille bénévolement] et [le programme *Smile Train* fournit l'argent nécessaire au matériel.] (coordination)

[En Afrique, naitre avec une fissure labio-palatine est une tare [que les enfants portent toute leur vie].] (subordination)

Même s'il n'y a pas de règle imposée quant au choix à privilégier (phrase simple ou complexe), il faut cependant que le propos soit le plus compréhensible possible. En allégeant le texte par l'utilisation de phrases simples, on cherche à rendre la lecture accessible tout en intéressant le lecteur et en maintenant son intérêt.

De plus, on peut travailler la phrase en enlevant des mots inutiles. De cette manière, on allège la phrase et on arrive à un texte plus concis.

Exemple :

Personne ne parle, tout le monde se tait dans la salle d'attente.

Personne ne parle~~, tout le monde se tait~~ dans la salle d'attente.

exercices

1 Faites au moins deux phrases simples à partir de chacune des phrases complexes suivantes[3].

a) La rangée de fillettes et de garçonnets défigurés, aux lèvres supérieures fendues et aux incisives apparentes, quand un trou ne sépare pas tout simplement le bout de leur nez de leur menton, fait peine à voir dans le hall d'attente de la clinique Suka de Ouagadougou.

____

____

____

b) Habibatou Saaba, dont le fils Zidan, âgé de 18 mois, vient d'être confié aux bistouris des chirurgiens de l'ONG canadienne *Mission Sourires d'Afrique*, fait les cent pas.

____

____

c) Le « futur » de son enfant, dont elle veut faire un « infirmier », est en jeu, explique-t-elle.

____

3 Les exercices de cette section ont été construits à partir d'extraits de l'article « Le "bec-de-lièvre", malédiction des "enfants-sorciers" africains », de Joris Fioriti, reproduit dans le chapitre 3.

d) Un bénévole, qui fait office de traducteur entre les patients burkinabè, souvent pauvres et ne maitrisant pas le français, et le personnel médical québécois, raconte le calvaire d'une mère récemment « chassée du village » avec sa progéniture pour avoir mis au monde « un enfant maudit ».

____

____

____

2 Éliminez les redondances dans les phrases suivantes.

a) Les parents n'hésitaient pas longtemps entre les deux choix : faire opérer leur enfant ou non. Ils choisissaient l'opération.

b) La mère de Zidan souhaite que l'opération en cours présentement se passe bien.

c) Il faut évidemment être patient, l'opération comporte plusieurs phases qui se suivent.

d) Les chirurgiens parlent ensemble des nombreux cas à la fin de la journée.

e) Le budget et le bilan de l'année de *Mission Sourires d'Afrique* ont été divulgués et rendus publics.

f) Ces infirmières et ces médecins sont tous venus travailler comme bénévoles gratuitement à Ouagadougou.

3 Dans le paragraphe suivant, allégez les phrases en enlevant le plus de mots inutiles possible tout en respectant les idées de base du texte.

Sur le continent noir, en Afrique, les services accessibles mis à disposition pour la population ainsi que pour les enfants sont rares. Les infrastructures manquent et ne suffisent pas. Les enfants avec une fissure labio-palatine peuvent difficilement bénéficier et profiter de soins de santé gratuits et ce, sans frais. Les familles pauvres ou sans ressources matérielles peinent à payer pour faire opérer leur enfant afin qu'il subisse la chirurgie nécessaire. Heureusement, une chance que certains organismes comme *Mission Sourires d'Afrique* et *Smile Train* offrent leur aide. En effet, une intervention chirurgicale précoce effectuée tôt dans la vie des jeunes avec une fissure labio-palatine leur permet de mener une existence normale. Ils peuvent aller à l'école pour faire leurs études, socialiser avec les autres bambins et espérer avoir un emploi valorisant plus tard dans le futur.

Enrichir la phrase

Pour mieux expliquer une situation, pour décrire en détail une émotion, pour donner plus d'information sur un évènement, il faut bien souvent ajouter des mots ou des groupes de mots à certaines composantes de la phrase déjà écrite.

On peut ajouter des précisions au sujet (S), au prédicat (P) ou au complément de phrase (CP).

Exemple :

Sous l'arbre, / les lions / sommeillent.
(CP) (S) (P)

Sous l'arbre **immense et solitaire**, / les lions **majestueux** / sommeillent **paresseusement**.

L'addition de termes permet d'enrichir le texte. Une attention toute particulière doit cependant être accordée à la recherche du mot juste et au respect de la syntaxe. Par contre, il faut éviter d'en mettre trop pour ne pas embrouiller le lecteur.

1 **Enrichissez les phrases suivantes en ajoutant des éléments au sujet (S), au prédicat (P) ou au complément de phrase (CP).**

a) Le soleil ______________________ chauffe ______________________ à l'est de la savane ______________________ .

b) Accompagnées de leurs rejetons ______________________ , les girafes ______________________ grignotent ______________________ .

c) Dans l'après-midi ______________________ , un certain silence ______________________ accompagne la chasse de la lionne ______________________ .

d) Des touristes ______________________ s'entassent ______________________ dans le car ______________________ .

e) Dans cet hôtel ______________________ , des aventuriers ______________________ s'imaginent participer à une chasse ______________________ .

f) Sans qu'il y ait aucun danger ______________________ , ces voyageurs captureront ______________________ tous ces animaux ______________________ avec leur appareil photo ______________________ .

2 **Vous êtes webmestre du site Internet de *Mission Sourires d'Afrique*. Vous êtes à la recherche de bénévoles pour partir avec l'équipe soignante. Votre collègue de travail a déjà rédigé l'annonce, mais vous trouvez que le texte manque d'intérêt et de précision. Enrichissez les phrases du paragraphe suivant afin d'attirer les meilleurs candidats.**

Nous partons en mission en Afrique pour trois semaines. Nous cherchons des personnes pour aider les enfants après leur chirurgie. Ces gens doivent aussi apporter leur soutien aux parents. Le travail est bénévole. Les candidats intéressés doivent être ouverts aux autres cultures et capables de travailler en équipe.

____

____

____

____

____

____

____

____

3 **Vous écrivez vos aventures dans un blogue de voyage. En 75 mots environ, décrivez une excursion qui vous a marqué. Donnez envie aux lecteurs de partir sur-le-champ pour la destination dont vous parlez !**

La concordance des temps

La concordance des temps s'applique à la phrase complexe. Celle-ci est composée d'une phrase principale et d'une ou de plusieurs subordonnées qui forment une phrase autonome. La phrase principale peut exister seule. La subordonnée, quant à elle, doit obligatoirement être rattachée à la principale, car seule, elle n'a pas de sens. Comme la phrase complexe comprend plusieurs groupes du verbe, il est essentiel de faire un choix approprié de temps de verbes.

Exemple:

[[Certains Africains prétendent] [que les enfants handicapés portent malheur].]
Phrase principale — Phrase subordonnée

C'est le temps du verbe de la phrase principale qui détermine le temps du verbe de la phrase subordonnée.

Il faut savoir si l'action de la phrase subordonnée a eu lieu:

- **avant** l'action de la phrase principale (rapport d'**antériorité**);
- **pendant** l'action de la phrase principale (rapport de **simultanéité**);
- **après** l'action de la phrase principale (rapport de **postériorité**).

LA CONCORDANCE DES TEMPS DE L'INDICATIF

Phrase principale	Rapport	Phrase subordonnée	Exemples		
Présent Futur Conditionnel présent	Antériorité (avant)	**Imparfait** **Passé composé** **Plus-que-parfait**	Ce touriste	*dit* *dira* *dirait*	qu'il **faisait** chaud. qu'il **a fait** chaud. qu'il **avait fait** chaud.
	Simultanéité (pendant)	**Présent**	Ce touriste	*dit* *dira* *dirait*	qu'il **fait** chaud.
	Postériorité (après)	**Futur simple**	Ce touriste	*dit* *dira* *dirait*	qu'il **fera** chaud.
Passé composé Imparfait Plus-que-parfait	Antériorité (avant)	**Plus-que-parfait**	Ce touriste	*a dit* *disait* *avait dit*	qu'il **avait fait** chaud.
	Simultanéité (pendant)	**Imparfait**	Ce touriste	*a dit* *disait* *avait dit*	qu'il **faisait** chaud.
	Postériorité (après)	**Conditionnel présent**	Ce touriste	*a dit* *disait* *avait dit*	qu'il **ferait** chaud.

LA CONCORDANCE DES TEMPS DU SUBJONCTIF					
Phrase principale	**Rapport**	**Phrase subordonnée**	**Exemples**		
Présent Futur Conditionnel présent	Antériorité (avant)	**Passé**	Ce touriste	*a* *aura* *aurait*	peur que le train **soit parti**.
	Simultanéité (pendant) ou Postériorité (après)	**Présent**	Ce touriste	*a* *aura* *aurait*	peur que le train **parte**.
Imparfait Passé composé Plus-que-parfait Conditionnel passé	Antériorité (avant)	**Passé**	Ce touriste	*avait* *a eu* *avait eu* *aurait eu*	peur que le train **soit parti**.
	Simultanéité (pendant) ou Postériorité (après)	**Présent**	Ce touriste	*avait* *a eu* *avait eu* *aurait eu*	peur que le train **parte**.

La concordance des temps dans la phrase hypothétique introduite par *si*

La phrase hypothétique contient une phrase principale et une subordonnée exprimant une condition introduite par *si*.

L'action de la phrase principale a lieu à condition que l'action de la phrase subordonnée se réalise.

Exemple :

[[Je ferais opérer mon enfant], [**si** j'avais assez d'argent].]
Phrase principale (soumise à une condition) — Phrase subordonnée (la condition)

Phrase principale	Phrase subordonnée	Exemples
Présent ou futur	***si* + Présent**	[*Mission Sourires d'Afrique vient* au Burkina Faso] [*Mission Sourires d'Afrique viendra* au Burkina Faso] [si *Smile Train* **finance** une partie des couts].
Conditionnel présent	***si* + Imparfait**	[*Mission Sourires d'Afrique viendrait* au Burkina Faso] [si *Smile Train* **finançait** une partie des couts].
Conditionnel passé	***si* + Plus-que-parfait**	[*Mission Sourires d'Afrique serait venu* au Burkina Faso] [si *Smile Train* **avait financé** une partie des couts].

La cohésion temporelle

Pour assurer la cohésion temporelle d'un texte, il faut :

- déterminer le temps principal du texte (passé, présent, futur). La plupart des actions seront racontées au temps principal.
- déterminer si les autres actions ont lieu avant, pendant ou après les actions racontées au temps principal.

Temps principal	PAR RAPPORT AU TEMPS PRINCIPAL, LES ACTIONS ONT LIEU		
	Avant	**Pendant**	**Après**
Présent	Passé composé Imparfait	Présent	Futur
Passé	Plus-que-parfait	Passé composé Passé simple (pour raconter les évènements) ou Imparfait (pour raconter les actions habituelles ou pour décrire)	Conditionnel présent
Futur	Passé composé Passé simple Plus-que-parfait Futur antérieur	Futur	Futur

Exemple :

Dans l'exemple suivant, les verbes en gras sont au **temps principal**. Les verbes en *italique* expriment des actions qui ont lieu *avant* les actions exprimées par le temps principal. Les verbes <u>soulignés</u> expriment des actions qui ont lieu <u>après</u> les actions exprimées par le temps principal.

Les enfants **attendent** patiemment dans la clinique de Ouagadougou. Certains **dorment**, d'autres **se tiennent** sagement près de leur maman. Les parents **s'inquiètent** pour leur garçon ou leur fille dans la salle d'opération. Tout à coup, l'infirmière **arrive**. Elle leur **annonce** que l'opération *s'est* bien *déroulée*. Le médecin *a terminé* la chirurgie. Les enfants <u>se réveilleront</u> bientôt de l'anesthésie.

Les enfants **attendaient** patiemment dans la clinique de Ouagadougou. Certains **dormaient**, d'autres **se tenaient** sagement près de leur maman. Les parents **s'inquiétaient** pour leur garçon ou leur fille dans la salle d'opération. Tout à coup, l'infirmière **est arrivée / arriva**. Elle leur **a annoncé / annonça** que l'opération *s'était* bien *déroulée*. Le médecin *avait terminé* la chirurgie. Les enfants <u>se réveilleraient</u> bientôt de l'anesthésie.

Les enfants **attendront** patiemment dans la clinique de Ouagadougou. Certains **dormiront**, d'autres **se tiendront** sagement près de leur maman. Les parents **s'inquièteront** pour leur garçon ou leur fille dans la salle d'opération. Tout à coup, l'infirmière **arrivera**. Elle leur **annoncera** que l'opération *s'est / s'était / se serait* bien *déroulée*. Le médecin *a / avait / aurait terminé* la chirurgie. Les enfants <u>se réveilleront</u> bientôt de l'anesthésie.

exercices

1 Dans les phrases subordonnées entre crochets, conjuguez les verbes entre parenthèses au temps approprié selon leur rapport (antériorité, simultanéité, postériorité) avec les phrases principales.

a) En Afrique, une fissure labio-palatine serait une tare [que les enfants et les proches ______________________ (porter / simultanéité) toute leur vie].

b) Corriger une fissure labio-palatine est une intervention rapide et sans risque en Occident [qui ______________________ (prendre / postériorité) une importance considérable sur le continent noir].

c) Des commanditaires canadiens ont financé le projet *Mission Sourires d'Afrique* [parce qu'ils ______________________ (croire / antériorité) en son rôle essentiel pour l'avenir des enfants].

d) Quelques jours après l'opération, cette mère retournait dans son village pour montrer sa fille [parce qu'elle
_______________________ (être / simultanéité) fière de la nouvelle beauté de son enfant].

e) Les parents souhaitent ardemment [que leurs enfants _______________________
(pouvoir / simultanéité) aller à l'école après l'opération].

f) Les infirmières regrettent [que la mission à Ouagadougou _______________________ (finir / antériorité) après seulement dix jours].

g) Cette fillette a eu peur [que l'anesthésiste lui _______________________ (faire / postériorité) mal avec son aiguille].

h) Ce jeune homme aurait aimé [que l'opération _______________________ (réussir / antériorité) pour pouvoir se marier enfin].

2 Corrigez le temps des verbes dans les phrases subordonnées entre crochets.

a) Les enfants pourraient mener une vie normale en Afrique [si on procéderait à l'opération dès leur naissance].

b) L'opération réussit avec plus de succès [si on évitera l'infection et l'hémorragie].

c) Les médecins du Burkina Faso procèderont aux interventions eux-mêmes [si leur formation sera adéquate].

d) L'interprète aurait traduit les informations de l'infirmière [si cela permettrait aux parents de mieux comprendre la situation].

3 Le temps principal du paragraphe suivant est l'imparfait. Certains verbes sont antérieurs au temps principal et sont conjugués au plus-que-parfait. D'autres sont postérieurs au temps principal et sont conjugués au conditionnel. Réécrivez le texte en lui donnant le présent comme temps principal et adaptez les autres temps de verbes.

Habibatou **semblait** soulagée. Elle **regardait** son fils endormi. Les infirmières **prenaient** soin de lui après la chirurgie. Habibatou **trouvait** son fils de toute beauté. Elle *avait espéré* un tel résultat ! C'**était** magique ! Elle **admirait** le sourire de son petit garçon. Elle n'**arrêtait** pas de remercier le personnel médical. Elle **priait** aussi. Ses rêves pour son enfant se réaliseraient peut-être. Il deviendrait infirmier plus tard. Il soignerait à son tour des enfants malades. Et Habibatou serait tellement fière de lui ! Ils *avaient vécu* des moments extrêmement difficiles, mais maintenant tout serait plus facile. Elle le **souhaitait** profondément. Les gens de *Mission Sourires d'Afrique avaient sauvé* la vie de son bébé chéri !

L'emploi de l'adverbe de négation *ne*

La phrase négative est construite avec un marqueur de négation formé de deux mots placés de chaque côté du verbe ou de l'auxiliaire.
Ce type de phrase sert à nier, à refuser ou à interdire une parole, un comportement, etc. Cette phrase transformée est le contraire de la phrase positive.

Dans le langage parlé, il n'est pas rare d'omettre l'adverbe de négation *ne* pour ne garder que le mot de négation : *pas*.

Exemple :
J'arrive pas à m'en sortir ! (à l'oral)
Je **n'**arrive pas à m'en sortir ! (à l'écrit)

De même, la liaison à l'oral entre le *on* et un verbe commençant par une voyelle peut fausser l'utilisation du *ne*. Il ne s'agit pas de la liaison, mais bien de l'adverbe de négation, *n'*.

Exemple :

On aime pas ça !

On **n'**aime pas ça !

Il faut donc éviter d'oublier ou de mal utiliser les marqueurs de négation.
Le tableau suivant présente les principaux marqueurs de négation.

MARQUEURS DE NÉGATION	EXPLICATION	EXEMPLES
Ne... pas	Négation la plus courante	Ouagadougou est au Burkina Faso. Ouagadougou **n'**est **pas** en Côte d'Ivoire.
Ne... plus	Négation de *encore*	Les enfants sont **encore** rejetés à cause de leurs fissures labio-palatines. Après l'opération, les enfants **ne** sont **plus** défigurés par leurs fissures labio-palatines.
Ne... personne	Négation de *quelqu'un* *Remarque :* Quand *quelqu'un* est sujet, *personne* doit garder la même position dans la phrase, suivi de *ne*.	**Quelqu'un** aide ces enfants-sorciers. **Personne n'**aide ces enfants-sorciers.
Ne... rien	Négation de *quelque chose*	C'est une malédiction, il y a **quelque chose** qui menace les enfants ayant une fissure labio-palatine. C'est une bénédiction, il **n'**y a **rien** qui menace l'avenir des enfants qui ont été opérés.
Ne... jamais	Négation de *déjà, souvent, toujours*	Après son opération, mon enfant sourira **toujours**. Mon enfant **ne** sourit **jamais** à cause de son handicap.

exercices

1 Les phrases suivantes présentent des irrégularités dans l'utilisation de l'adverbe de négation *ne*. Ajoutez ou enlevez les adverbes de négation pour corriger les erreurs.

a) On entend pas un mot dans le hall d'attente de la clinique Suka de Ouagadougou.

b) Dans une telle situation, on n'a plus besoin d'actions concrètes que de pitié.

c) Grâce à l'opération, on espère pas de miracle, mais seulement accéder à une vie normale.

d) Parfois, les gens des villages chassent le bébé et la maman ; personne est intéressé au sort cruel qui leur est réservé.

e) Le visage de Safiatou est d'une beauté éclatante ; elle a plus besoin qu'on l'aide.

f) Les patients burkinabè sont souvent pauvres. Que faire quand on a rien pour soigner son enfant ?

g) Il existe des solutions : l'organisme *Mission Sourires d'Afrique* en n'est un bon exemple.

CHAPITRE 3

COMPRENDRE un texte

Rendre la lecture efficace

Les sources de motivation pour la lecture d'un texte sont nombreuses. Pour s'évader du quotidien et se distraire, on plonge dans un roman ou on feuillette une bande dessinée ; notre lecture est alors ludique. Pour assembler un meuble, on consulte le manuel d'instruction, et pour s'informer, on lit le journal ; notre lecture est alors pratique. Pour recueillir de l'information en vue de rédiger un texte sur un sujet donné, on parcourt des articles de revues spécialisées, des livres, etc. ; notre lecture est alors scolaire.

Peu importe ce qui nous pousse à lire, la lecture doit servir nos fins, et pour qu'elle soit efficace, il y a des règles de base à observer.

Apprivoiser le texte

Analyse de la situation de lecture (questions à se poser avant la lecture)

- **Qui a écrit le texte ?** Ex. : blogueur, journaliste, expert sur le sujet dont parle le texte, etc.
  Déterminer qui est l'auteur du texte et à quel titre il l'a écrit peut permettre, entre autres, d'en évaluer la fiabilité et la crédibilité.
- **À qui s'adresse le texte ?** Ex. : large public, jeunes, professionnels, etc.
  Connaitre le destinataire du texte permet d'évaluer la complexité de son contenu, qui peut en influencer la compréhension et l'interprétation.
- **Pourquoi lire ce texte ?** Ex. : pour se documenter pour un travail scolaire, pour le plaisir, etc.
  Tenir compte du but de la lecture permet de déterminer si le texte est adapté à celui-ci.
- **À quel genre de questions devrons-nous répondre après la lecture ?** Ex. : questions de compréhension, préparation d'un exposé oral, d'un résumé, etc.
  Garder en tête le but de la lecture rend plus efficace la prise de notes, le repérage des mots clés, etc.
- **Quelles connaissances antérieures peuvent servir à la compréhension du texte ?** Ex. : connaissances géopolitiques, références culturelles, etc.
  Tout savoir acquis, par exemple par des voyages, un travail ou des épreuves personnelles, peut être appliqué à la lecture du texte et en favoriser la compréhension.

Examen des éléments généraux du texte avant la lecture

- Titre : révèle le sujet du texte.
- Sous-titre : précise le sujet.
- Chapeau : présente le sujet dans un court texte qui suit le titre et le sous-titre.
- Intertitres : indiquent les aspects abordés dans chaque section du texte.
- Introduction : expose les grandes lignes du sujet.
- Illustrations, photographies, tableaux : donnent de l'information sur le contenu.
- Encadrés et mots en gras et soulignés : font ressortir les informations importantes.

Lire le texte

Pendant la lecture :

- Faire des liens entre le texte et la tâche à effectuer (ex. : répondre à des questions, rédiger un texte).
- Entourer les mots difficiles ou nouveaux.
- Tenter de saisir le sens des phrases, même si on ne comprend pas tous les mots (déduction).
- Consulter un dictionnaire pour découvrir la signification des mots difficiles (vérification).
- Choisir la définition appropriée selon le contexte (compréhension).
- Encadrer les mots clés : ces mots sont directement liés au sujet et en rappellent les éléments essentiels.
- Souligner les idées principales : dans chaque paragraphe, une ou deux phrases permettent de cibler le propos précis.
- Placer entre crochets les citations et les exemples à retenir : ces passages sont révélateurs, attirent l'attention en raison de leur contenu (ex. : statistiques, dates) ou de leur style et peuvent servir à appuyer un propos.
- Résumer chaque paragraphe dans la marge ou sur une feuille : les idées principales et les citations sont alors choisies et reformulées afin de montrer la compréhension du texte entier.
- Dégager le plan du texte : à ce stade, chaque partie du texte est bien saisie et résumée en marge selon le canevas suivant :
  a) Introduction
  b) Développement (première partie, deuxième partie, troisième partie, etc., selon la longueur du texte)
  c) Conclusion

Partie 2 page 71

Note : Certains types de textes peuvent présenter des particularités et nécessiter un plan plus précis.

exercices

1 Repérez dans l'article de la page suivante chaque élément de la liste ci-dessous. Nommez-les directement dans le texte et mettez entre parenthèses les passages ou éléments trouvés.

a) Titre

b) Auteur

c) Chapeau

d) Introduction

e) Intertitre

2 Lisez le texte ci-après et répondez aux questions suivantes.

a) Qui est l'auteur du texte ? ____________________

b) Selon vous, à qui s'adresse le texte ? Quels indices permettent de répondre à cette question ?

____

____

____

c) Pourquoi lisez-vous ce texte ? ____________________

d) Quelles connaissances antérieures peuvent vous servir à la compréhension du texte ?

____

____

____

Le «bec-de-lièvre», malédiction des «enfants-sorciers» africains[1]

Joris FIORITI

Agence France-Presse

OUAGADOUGOU

On les traite de sorciers, leurs parents les cachent, quand ils ne sont pas expulsés de leur village: les nourrissons naissant avec une fissure labio-palatine en Afrique sont souvent condamnés à une vie de paria s'ils ne sont pas rapidement opérés.

La rangée de fillettes et de garçonnets défigurés, aux lèvres supérieures fendues et aux incisives apparentes, quand un trou ne sépare pas tout simplement le bout de leur nez de leur menton, fait peine à voir dans le hall d'attente de la clinique Suka de Ouagadougou.

Certains dorment, d'autres sont assis sagement, leur tête posée contre une épaule parentale. Personne ne parle ou presque. La crispation est manifeste.

Habibatou Saaba, dont le fils Zidan, âgé de 18 mois, vient d'être confié aux bistouris des chirurgiens de l'ONG canadienne «Mission sourires d'Afrique», fait les cent pas. Le «futur» de son enfant, dont elle veut faire un «infirmier», est en jeu, explique-t-elle.

«Jusqu'ici, elle cachait son fils», raconte sa belle-sœur qui l'accompagne. «Je lui ai demandé pourquoi. Elle m'a dit qu'on lui posait trop de questions. Que parfois les adultes se pressaient pour le dévisager.»

«À sa naissance, j'étais tellement triste que je n'en mangeais plus», acquiesce Habibatou.

Au Burkina Faso comme ailleurs en Afrique, naitre avec une fissure labio-palatine, communément appelée bec-de-lièvre, est une tare que les enfants et leurs proches portent leur vie durant. «La plupart des familles pensent qu'elles sont victimes d'une malédiction», affirme Loïc Koffi, l'assistant social de la clinique. Si en ville parents et enfants réussissent à surmonter ce handicap, les petits sont «traités de sorciers» en milieu rural, où ils provoquent des divorces, quand ils ne sont pas «bannis» des villages «avec leurs mamans». constate-t-il. Un bénévole, qui fait office de traducteur entre les patients burkinabè, souvent pauvres et ne maitrisant pas le français, et le personnel médical québécois, raconte le calvaire d'une mère récemment «chassée du village» avec sa progéniture pour avoir mis au monde «un enfant maudit». «Elle a été obligée de se cacher en brousse, comme un animal, de vivre de cueillette. Un voyageur qui l'a rencontrée a eu pitié d'elle et l'a emmenée à Ouagadougou», narre-t-il.

Problème réglé en 45 minutes

Dans de telles circonstances, corriger une fissure labio-palatine, une intervention rapide et sans risque en Occident, prend une importance considérable sur le continent noir. «Cette difformité [...] provoque de nombreux stigmates.

1 Source: Joris Fioriti, Agence France Presse, 2014.

Les enfants ont des problèmes psychologiques. Ils ne peuvent pas socialiser, aller à l'école, se marier, travailler», déplore Nkeiruka Obi, responsable du programme *Smile train* (le train du sourire) en Afrique de l'Ouest. «Pourtant, ce problème peut être réglé en 45 minutes, pour un cout de 250 dollars, et changer la vie d'un enfant pour toujours», souligne Mme Obi, dont l'ONG basée aux États-Unis a réparé selon elle «près d'un million de sourires» aux quatre coins du globe, dont 127 000 en 2013. *Smile train*, fondée en 1999, accorde 400 dollars par opération aux médecins, qui en échange soignent les patients gratuitement. L'ONG aide également à la formation de chirurgiens locaux et au développement d'infrastructures. La quinzaine d'infirmières, anesthésistes et médecins de «Mission sourires d'Afrique», tous venus bénévolement, s'inscrit dans cette démarche. L'argent que leur reverse *Smile train* correspond au quart de leurs dépenses, évaluées à 80 000 à 100 000 dollars. Des commanditaires démarchés au Canada financent l'important reliquat.

À Ouagadougou, deux équipes travaillent en flux tendu dans le même bloc opératoire, aux normes sanitaires conformes aux standards occidentaux grâce à du matériel rapporté de Montréal. «C'est une opération difficile à faire parfaitement. Mais tous les tissus sont là. Il s'agit simplement de les mettre en place», explique le docteur Jean-Martin Laberge en réparant la bouche de la petite Safiatou, 6 ans. «L'arc de Cupidon (au sommet de la lèvre supérieure) est parfait!» se réjouit-il à la fin de l'intervention. À ses côtés, sa femme Louise, également chirurgien, forme une consœur nigérienne. Comme pour les 65 autres enfants ayant été opérés, dont certains avaient également le palais fendu, le résultat est saisissant. Le visage de Safiatou est d'une beauté éclatante, à mille lieues du rictus qui déchirait son visage trois quarts d'heure plus tôt.

«Hier, une mère nous a dit qu'elle allait retourner au village, bien habillée avec sa petite fille, et parader», sourit le docteur Laberge. De fait, les mamans, souvent jeunes, rayonnent en contemplant leur progéniture endormie en salle post-opératoire. Dans une petite pochette, une photo prise avant l'intervention permet de garder en mémoire l'image d'un passé chaotique désormais révolu. L'avenir sera plus limpide, pour elles et leurs enfants.

3 Qu'est-ce que la seule lecture du titre vous permet de comprendre quant au contenu de l'article ?

____

____

4 Dans l'article, entourez les mots suivants, puis cherchez-en la définition appropriée au contexte dans le dictionnaire.

a) tare (7e paragraphe) : ______________________________

b) reliquat (9e paragraphe) : ______________________________

c) rictus (10e paragraphe) : ______________________________

d) rayonnent (11e paragraphe) : ______________________________

5 **Entourez trois autres mots difficiles, selon vous. Formulez une définition personnelle à partir du contexte et vérifiez-la dans le dictionnaire.**

____

____

____

6 **Annotez le texte *Le bec-de-lièvre...* de la manière suivante.**

a) Encadrez les mots clés.

b) Soulignez les idées principales.

c) Placez entre crochets les citations et les exemples à retenir.

d) Résumez chaque paragraphe dans la marge. Servez-vous des citations et des idées principales déjà ciblées et reformulez-les pour faire une synthèse de chaque paragraphe.

7 **À l'aide du tableau suivant, dégagez le plan du texte.**

PLAN	IDÉES PRINCIPALES / CITATIONS	RÉSUMÉ / REFORMULATION
1er paragraphe :		
2e paragraphe :		
3e paragraphe :		

PLAN	IDÉES PRINCIPALES / CITATIONS	RÉSUMÉ / REFORMULATION
3e paragraphe (suite) : ____ ____	____	____
4e paragraphe : ____ ____	____	____
5e paragraphe : ____ ____	____	____

Répondre à une question de compréhension

Répondre à une question de compréhension exige une lecture attentive, menant à une bonne compréhension du texte, le repérage des éléments de réponse dans le texte et la formulation détaillée, exacte et correcte de la réponse. Avant de procéder à la rédaction comme telle de celle-ci, plusieurs étapes sont nécessaires.

Les étapes à respecter

1. Lire attentivement le texte et s'assurer de bien le comprendre (voir page 62).
2. Lire attentivement la question posée et en souligner les mots clés afin de bien la comprendre.
3. Chercher les éléments de réponse et les souligner. Ces éléments peuvent être éparpillés dans le texte.

4 Noter l'idée principale et les idées secondaires liées à la question.

5 Construire la réponse en reprenant les mots clés de la question et en rédigeant des phrases complètes. Si la question exige une réponse plus complexe nécessitant plusieurs phrases, utiliser des marqueurs de relation pour faire la transition entre les diverses parties de la réponse.

6 Réviser la réponse à l'aide de la liste de vérification et de la grille de révision.

Liste de vérification p. 70

Grille de révision p. 161

Exemple de question : Lisez le texte *Marquées à vie* et répondez à la question suivante :
Les évènements traumatisants peuvent-ils avoir des conséquences à long terme pour le cerveau ?

Marquées à vie

Les traumatismes vécus durant l'enfance affectent à tout jamais les victimes de violence. Leur cortex cérébral en garde même les traces.

À partir d'une radiographie des poumons, un pneumologue peut habituellement déterminer si son patient a abusé du tabac au cours de sa vie. Jens Pruessner, lui, arrive à savoir si une personne a été victime de traumatismes sexuels ou psychologiques durant son enfance, en scrutant des images de son cerveau. « Regardez ici, la zone en mauve », dit le chercheur, en pointant sur son ordinateur portable le cortex sensorimoteur d'un cerveau affiché à l'écran. « Il est plus mince que la normale », commente-t-il.

On savait déjà que les évènements traumatisants pouvaient modifier l'expression de certains gènes, mais c'est la première fois qu'on constate qu'ils peuvent altérer de façon permanente les structures du cerveau. Psychologue professeur à l'Université McGill et chercheur à l'Institut universitaire de santé mentale Douglas, Jens Pruessner a fait part de cette étonnante découverte dans l'*American Journal of Psychiatry*. Un résultat qu'il a obtenu en collaboration avec Christine Heim, qui dirige l'Institut de psychologie médicale de l'Hôpital universitaire de la Charité de Berlin, en Allemagne.

Leur équipe a recruté 51 femmes victimes de traumatismes durant l'enfance. Certaines avaient été négligées par leurs parents, d'autres avaient été battues. D'autres encore avaient été victimes de violences verbales ou sexuelles. Après avoir répondu à un long questionnaire préparé par les chercheurs, ces volontaires ont été examinées dans un appareil d'imagerie par résonance magnétique qui a scruté leur cerveau.

« L'épaisseur du cortex nous intéressait particulièrement », précise Jens Pruessner. Rappelons que le cortex est l'enveloppe formée de substance grise qui recouvre les deux hémisphères cérébraux. C'est cette couche externe qui perçoit en premier les informations sensorielles, avant de les relayer vers d'autres régions cérébrales plus profondes, où elles sont analysées.

L'appareil d'imagerie par résonance magnétique a beau être puissant, il n'arrive pas à calculer l'épaisseur du cortex. « Pour chaque volontaire, il a plutôt mesuré la position exacte de 40 000 points de cerveau, résume le chercheur. À partir de ces données, nous avons calculé la distance entre la surface de la matière grise et la couche de matière blanche, en dessous.

Nous avons ainsi obtenu l'épaisseur du cortex partout sur les hémisphères. C'est un immense problème mathématique que nous avons dû résoudre. »

À la lumière des résultats, Jens Pruessner et Christine Heim ont constaté que la portion du cortex recevant les signaux sensoriels en provenance des parties génitales était plus mince que la normale chez les femmes qui avaient été agressées sexuellement. « Le cerveau a probablement réagi aux agressions en tentant de bloquer les signaux, ce qui a empêché cette zone du cortex de se développer normalement », suggère Jens Pruessner.

Les femmes qui ont subi ce type de traumatisme ont généralement plus de mal à éprouver du plaisir sexuel lorsqu'elles arrivent à l'âge adulte. Les raisons, à la lumière de ces résultats, ne seraient pas que psychologiques. Elles seraient aussi d'ordre physiologique.

Chez les volontaires qui avaient vécu d'autres types de traumatismes, comme la négligence ou la violence verbale, ce sont d'autres régions du cortex qui se sont révélées plus minces, notamment le cortex pariétal. « Ces femmes ont davantage tendance à souffrir de dépression ou d'anxiété, signale le scientifique. On le sait grâce à de nombreuses études épidémiologiques, mais c'est la première fois qu'on formule une explication biologique. »

Fait à retenir, il semble y avoir une relation directe entre la gravité des traumatismes subis durant l'enfance et les dommages au cerveau. Autrement dit, plus les agressions ont été violentes, plus le cortex est mince. « Évidemment, c'est difficile de quantifier la gravité d'un traumatisme, surtout que les femmes doivent se souvenir d'évènements qui se sont passés il y a parfois plusieurs décennies », concède le chercheur.

Les résultats du professeur Pruessner sont plutôt déconcertants pour les femmes traumatisées. Les évènements de leur enfance les auraient-elles condamnées pour la vie ?

« Jusqu'à l'âge de 12 ans, le cerveau demeure assez malléable, répond le chercheur. Si les traumatismes cessent et que des expériences positives prennent le relais, il est probable que de nouvelles connexions neuronales se formeront pour réparer les ravages. Mais après 12 ans, c'est plus difficile. »

Heureusement, le cerveau conserve une certaine plasticité tout au long de la vie. Des études ont démontré que les adultes qui apprenaient le piano pouvaient « muscler » les régions du cerveau associées à la musique. « Mais à leur âge, les effets sont moins spectaculaires que chez les enfants. Et puis, ils ne doivent pas arrêter de jouer, sans quoi leur cerveau retrouvera l'état qu'il avait avant l'apprentissage de la musique, précise Jens Pruessner. Les effets ne seront pas permanents. »

Les femmes qui ont vécu des traumatismes pourraient donc, à force de thérapies et d'expériences positives, soigner en quelque sorte leurs neurones. Elles deviendraient plus réceptives aux expériences sexuelles positives, également plus résistantes à la dépression et à l'anxiété. « Mais elles garderont toujours une certaine vulnérabilité, croit le chercheur. C'est important de retenir que ces femmes ont besoin de soutien. »

Dominique Forget, *Québec Science*, janvier-février 2014, p. 20-21.

Exemple de réponse :

ÉTAPES	APPLICATION
1 Lire attentivement la question posée et en souligner les mots clés afin de bien la comprendre.	Les évènements traumatisants vécus pendant l'enfance peuvent-ils avoir des conséquences à long terme pour le cerveau des victimes ?
2 Chercher les éléments de réponse dans le texte et les souligner.	• « Les traumatismes vécus durant l'enfance affectent à tout jamais les victimes de violence. Leur cortex cérébral en garde même les traces. » (chapeau) • « le cortex sensorimoteur d'un cerveau affiché à l'écran [...] est plus mince que la normale » • « c'est la première fois qu'on constate qu'ils (les évènements traumatisants) peuvent altérer de façon permanente les structures du cerveau. » • « il semble y avoir une relation directe entre la gravité des traumatismes subis durant l'enfance et les dommages au cerveau. Autrement dit, plus les agressions ont été violentes, plus le cortex est mince. »
3 Noter l'idée principale et les idées secondaires liées à la question.	**Idée principale :** Les traumatismes vécus pendant l'enfance affectent le cerveau des victimes. **Idées secondaires :** 1. Le cortex d'un cerveau affecté est plus mince que la normale. 2. Les conséquences des traumatismes subis durant l'enfance sont permanentes. 3. La gravité des traumatismes subis durant l'enfance détermine les dommages au cerveau.
4 Construire la réponse en reprenant les mots clés de la question et en rédigeant des phrases complètes. *Utiliser des marqueurs de relation pour faire la transition entre les diverses parties de la réponse (dans le cas d'une réponse plus longue).*	**Réponse longue :** Oui, les évènements traumatisants vécus pendant l'enfance affectent de façon permanente le cerveau des victimes. **En effet**, les tests d'imagerie par résonance magnétique révèlent que le cortex du cerveau des victimes d'abus est plus mince que la normale. **De plus**, l'analyse du cerveau met en évidence le fait que celui-ci connait des modifications en fonction de la gravité du traumatisme subi. **Bref**, les conséquences des traumatismes qu'une personne vit durant son enfance ne sont pas passagères. **Réponse courte :** Oui, les évènements traumatisants vécus pendant l'enfance affectent de façon permanente le cerveau des victimes, dont le cortex est modifié en fonction de la gravité du traumatisme subi.

exercices

Lisez l'article *Marquées à vie* (voir p. 67) et répondez aux questions de compréhension suivantes en respectant les étapes énoncées aux pages 66 et 67.

1 **Montrez quelles sont, selon l'article, les conséquences de la négligence ou de la violence verbale sur les personnes qui en sont victimes.**

____

____

____

____

❷ **Est-il possible, selon le chercheur Jens Pruessner, de soigner complètement les victimes de violence ? Expliquez votre réponse.**

____

____

____

____

❸ **Lisez les quatre réponses à la question suivante et dites laquelle vous semble la meilleure. Justifiez votre choix. Pourquoi les femmes ayant subi des traumatismes restent-elles marquées à vie ?**

a) Elles sont faibles après 12 ans.

b) Le cerveau, une fois affecté, ne peut plus être complètement guéri.

c) Parce qu'une fois touché, leur cerveau ne peut plus être complètement guéri.

d) Les femmes ayant subi des traumatismes restent marquées à vie parce qu'il est impossible de soigner complètement les neurones, malgré une certaine plasticité que le cerveau conserve tout au long de la vie.

____

____

____

❹ **L'âge de la victime influence-t-il les conséquences des traumatismes ? Expliquez votre réponse.**

____

____

____

____

Révision de la réponse à une question de compréhension

Liste de vérification

J'ai lu attentivement le texte et je l'ai bien compris.	☐
J'ai compris la question posée en soulignant les mots clés.	☐
J'ai cherché les éléments de réponse dans le texte et je les ai soulignés.	☐
J'ai noté l'idée principale et les idées secondaires liées à la question.	☐
J'ai construit la réponse en reprenant les mots clés de la question et en rédigeant des phrases complètes.	☐
J'ai utilisé des marqueurs de relation pour faire la transition entre les diverses parties de la réponse.	☐
J'ai respecté les règles d'orthographe d'usage, de grammaire et de ponctuation.	☐

PARTIE 2

LA RÉDACTION

CHAPITRE 4

RÉDIGER un **résumé**

Le but du résumé

Faire un résumé consiste à reformuler dans ses propres mots l'essentiel d'un texte.

Divers types de textes peuvent être résumés : les textes informatifs, narratifs, argumentatifs, etc. Durant tout le parcours scolaire ou professionnel, le résumé – que ce soit d'articles, de livres, de films, de dossiers, de rapports, de lettres, de discours, d'entrevues – est un outil de travail précieux.

En tant qu'exercice de réécriture, le résumé développe la capacité :

- de comprendre un texte et d'en dégager les idées essentielles ;
- d'observer la structure logique d'un texte ;
- d'améliorer son vocabulaire et la construction de ses phrases.

La préparation du résumé

Pour faire un résumé, il faut bien comprendre le texte et y sélectionner ce qui est essentiel. Plusieurs lectures sont nécessaires (voir chapitre 3, « Rendre la lecture efficace », p. 61-62).

PREMIÈRE LECTURE : l'approche globale du texte (situer le texte)

- Noter le nom de l'auteur, le titre du texte, la date de publication ;
- Lire attentivement le texte et signaler les passages mal compris par un point d'interrogation dans la marge, sans s'attarder sur ces difficultés avant d'avoir lu le texte au complet ;
- Dégager **le sujet** (de quoi le texte parle-t-il ?), **le ton** dominant du texte (comment l'auteur aborde-t-il le sujet : narration d'évènements, exposition de faits, défense d'un point de vue personnel, etc. ?), **l'intention** de l'auteur (veut-il raconter, informer, convaincre, etc. ?).

DEUXIÈME LECTURE : l'approche détaillée du texte (distinguer les idées essentielles et la structure du texte)

- Consulter un dictionnaire pour découvrir la signification des mots difficiles ;
- Choisir la signification appropriée selon le sens du texte ;
- Encadrer les mots clés ;
- Surligner les marqueurs de relation ;
- Souligner les idées principales ;
- Repérer les grandes parties du texte (introduction, développement, conclusion) et les séparer par une double barre verticale (//) ;
- Reformuler les idées principales et les idées secondaires dans la marge du texte.

TROISIÈME LECTURE : la schématisation du plan du texte

- Dégager le plan du texte à partir des annotations faites dans la marge, en utilisant des phrases sans verbes conjugués.

Exemple de travail de préparation

Texte à résumer

> Au cours de la première partie de l'enfance, nous accumulons des connexions dans le cerveau. C'est un phénomène crucial: on apprend, on apprend, on apprend... Ensuite, lorsque l'adolescence commence, le cerveau se remodèle de deux façons. Premièrement, il se met à élaguer, à tailler ce dont il n'a pas besoin – et notamment les connexions qu'il n'utilise pas. Ce faisant, il spécialise les régions qui restent en place et il pose à l'intérieur de celles-ci une couche isolante d'une substance appelée myéline, qui rend les connexions quelque 3000 fois plus rapides: c'est la deuxième étape, appelée «myélinisation». Ce double phénomène permet au cerveau de l'adolescent qui s'achemine vers le milieu de la vingtaine de fonctionner comme un système bien intégré et adapté.
> (133 mots)
>
> Source: «Le cerveau des ados, une machine à innover», entrevue avec Daniel J. Siegel (propos recueillis par Nic Ulmi), *Le Devoir*, le 4 aout 2014, p. B3.

Lecture et annotation du texte

Enfance: accumulation de connexions dans le cerveau ⟶ apprentissage

Adolescence: remodelage du cerveau

Élagage des connexions superflues

Spécialisation des régions conservées

Myélinisation: application d'une couche isolante qui rend les connexions plus rapides.

Fonctionnement du cerveau de l'individu dans la vingtaine comme un système bien intégré et adapté.

Au cours de la première partie de l'enfance, nous accumulons des connexions dans le cerveau. C'est un phénomène crucial: on apprend, on apprend, on apprend... // Ensuite, lorsque l'adolescence commence, le cerveau se remodèle de deux façons. Premièrement, il se met à élaguer, à tailler ce dont il n'a pas besoin – et notamment les connexions qu'il n'utilise pas. Ce faisant, il spécialise les régions qui restent en place et il pose à l'intérieur de celles-ci une couche isolante d'une substance appelée myéline, qui rend les connexions quelque 3000 fois plus rapides: c'est la deuxième étape, appelée «myélinisation». // Ce double phénomène permet au cerveau de l'adolescent qui s'achemine vers le milieu de la vingtaine de fonctionner comme un système bien intégré et adapté.

Plan du texte

1. Enfance: accumulation de connexions dans le cerveau favorisant l'apprentissage.
2. Adolescence: remodelage du cerveau
   a) Élagage des connexions superflues et spécialisation des régions conservées.
   b) Application d'une couche isolante qui rend les connexions plus rapides (myélinisation).
3. Conclusion:
   Fonctionnement du cerveau de l'individu dans la vingtaine comme un système bien intégré et adapté.

La rédaction du résumé

La rédaction du résumé comporte des règles dont il faut tenir compte:

- Formuler le résumé dans ses propres mots, sans faire un collage de phrases empruntées au texte, sans inclure de citations et d'exemples;
- Conserver l'ordre chronologique des évènements ou l'ordre dans lequel les idées sont présentées;
- Réduire le texte selon le nombre de mots ou de lignes demandé ou au quart de la longueur du texte initial;
- Rester fidèle au texte; ne pas en changer l'organisation ni en déformer les idées;
- Demeurer objectif dans la reformulation; ne pas émettre de jugements personnels (*selon moi, il me semble que*, etc.);

- Rédiger le résumé au présent et s'en tenir au registre standard de la langue ;
- Éviter les formules d'attribution (*selon l'auteur*, *pour sa part*, etc.) ;
- Rester concis ; utiliser des tournures brèves, des synonymes, des termes précis et englobants pour éviter les répétitions, les imprécisions et les énumérations trop détaillées ;
- Utiliser des marqueurs de relation pour assurer la continuité et la progression du texte ;
- Respecter les règles d'orthographe d'usage, de grammaire et de ponctuation.

Exemple de résumé du paragraphe annoté à la page 73 :

> Alors qu'à l'enfance, le cerveau accumule des connexions, à l'adolescence, il les réduit, les spécialise et les rend plus rapides. Grâce à ce processus, le cerveau de l'individu dans la vingtaine fonctionne comme un système bien intégré et adapté.
> (43 mots)

La révision du résumé

Liste de vérification p. 80

Après la rédaction du brouillon, il est nécessaire de :

- vérifier l'objectivité du résumé en le comparant avec le texte original ;
- compter le nombre de mots (est considéré comme mot toute lettre ou suite de lettres séparée de la suivante par un espace ou un signe de ponctuation (par exemple, *c'est-à-dire* compte pour quatre mots) ;
- rendre certaines structures plus concises si le résumé est trop long (voir les stratégies ci-après) ;
- réviser et corriger le résumé à l'aide de la grille de révision ;
- compter de nouveau le nombre de mots et l'indiquer à la fin du résumé.

Grille de révision p. 161

Quelques stratégies pour écrire avec concision

- Remplacer une énumération par un seul terme englobant.

  Exemple :

  Ses sœurs, ses parents, ses oncles et ses tantes étaient présents à la cérémonie.

  Sa famille était présente à la cérémonie.

- Remplacer un groupe du verbe par un verbe de même sens.

  Exemple :

  Ils nous **ont donné des arguments très convaincants.**

  Ils nous **ont convaincus.**

- Remplacer un groupe du nom par un seul nom.

  Exemple :

  Les publications quotidiennes relatant l'actualité sont accessibles à tous.

  Les journaux sont accessibles à tous.

- Remplacer un groupe de la préposition par un adverbe.

  Exemples :

  - **De cette manière**, les contrastes ont été atténués.
    Ainsi, les contrastes ont été atténués.
  - Ils ont réglé ces détails **au fur et à mesure**.
    Ils ont réglé ces détails **progressivement**.

- Remplacer une phrase subordonnée relative par un adjectif.

  Exemple :

  Son intervention, **qui n'était pas légale**, a provoqué un vrai scandale.

  Son intervention **illégale** a provoqué un vrai scandale.

- Remplacer une phrase subordonnée complétive par un groupe du nom, un groupe de l'adjectif, un groupe de la préposition, etc.

  Exemples :
  - **Que vous vous montriez compréhensif** rassure les participants.
    Votre compréhension rassure les participants.
  - Il a préféré partir seul **parce qu'il ne faisait pas confiance aux autres.**
    Méfiant (à l'égard des autres), il a préféré partir seul.
  - **Bien qu'elle ait été innocente,** Martha a été convoquée.
    Malgré son innocence, Martha a été convoquée.

  Note : La réduction des phrases peut entrainer des modifications ou des déplacements.

  Exemple :
  On observe **que les publicités sur le tabac**, autrefois agressives, **ont disparu complètement**.
  On observe **la disparition complète des publicités sur le tabac**, autrefois agressives.

- Effacer les éléments inutiles d'une phrase subordonnée.

  Exemple :
  Samantha a besoin de calme pour **qu'elle puisse se détendre**.
  Samantha a besoin de calme pour **se détendre**.

- Passer de la forme négative à la forme affirmative en employant un antonyme.

  Exemple :
  Leurs moyens de pression **n'étaient pas acceptables.**
  Leurs moyens de pression **étaient inacceptables.**

exercices

1 Lisez les textes suivants et dites quelles caractéristiques font du texte 2 le résumé du texte 1[1].

Texte 1

En quelques années, le Québec a vu sa réputation en matière de randonnée pédestre changer du tout au tout : il est passé de destination plate – au sens propre comme au figuré – à paradis pour trekkeurs.

Le nombre de kilomètres de sentiers a presque doublé, pour dépasser les 11 000. Le balisage déficient et les pistes marécageuses ont fait place à des sentiers dont la qualité générale est de calibre international. « Le Québec n'est plus le parent pauvre de la randonnée pédestre en Amérique du Nord », soutient Daniel Pouplot, PDG jusqu'à tout récemment de la Fédération québécoise de la marche (FQM), laquelle fait la promotion de la randonnée sous toutes ses formes. [...]

Le milieu du plein air devient également plus professionnel. Les concepteurs de pistes s'inspirent des meilleures pratiques au monde. La Sépaq donnera l'exemple, au début des années 2000, en restaurant à grands frais les sentiers-vedettes de plusieurs parcs [...]. « On a refait 250 km de sentiers pour les rendre plus attrayants et plus résistants à l'érosion. Les circuits inintéressants, on les a fermés », dit Gilbert Rioux, de la Sépaq. [...]

La poussée de croissance du réseau québécois engendre par ailleurs le défi de l'entretien. Un sentier, c'est vivant, ça bouge. Sans corvée de nettoyage, la végétation reprend vite ses droits. Les élus sont prompts à débloquer de l'argent pour ouvrir des sentiers, « mais dès qu'on veut des sous pour l'entretien, ils disparaissent dans la nature », se plaint Daniel Pouplot. Sera-t-il possible d'assurer la survie des 11 000 km de pistes ? La question se pose.
(265 mots)

---

1 Simon Diotte, « Randonnée au Québec : semelles au vent », *L'Actualité*, le 1er juin 2014, [en ligne], [http ://www.lactualite.com] (consulté le 2 septembre 2014).

Texte 2

Le Québec est devenu une destination reconnue pour la randonnée. La longueur des sentiers a augmenté significativement, leur qualité correspondant aux normes internationales. Ainsi, grâce à la professionnalisation du milieu, les meilleures pratiques au monde sont prises comme exemple dans la restauration des sentiers. Les experts soutiennent que l'ouverture des sentiers doit être accompagnée d'un entretien régulier, sinon la végétation devient envahissante. Cependant, les responsables politiques hésitent à financer l'entretien, ce qui pourrait mettre en danger la survie des pistes.
(83 mots)

2 Comparez les deux textes suivants. Le texte 2 est le résumé du texte 1[2]. Relevez les erreurs de rédaction du résumé.

Texte 1

Dès qu'un homme cherche le bonheur, il est condamné à ne pas le trouver, et il n'y a point de mystère là-dedans. Le bonheur n'est pas comme cet objet de vitrine, que vous pouvez choisir, payer, emporter; si vous l'avez bien regardé, il sera bleu ou rouge chez vous comme dans la vitrine. Tandis que le bonheur n'est bonheur que quand vous le tenez; si vous le cherchez dans le monde, hors de vous-même, jamais rien n'aura l'aspect du bonheur. En somme, on ne peut ni raisonner ni prévoir au sujet du bonheur; il faut l'avoir maintenant. Quand il parait être dans l'avenir, songez-y bien, c'est que vous l'avez déjà. Espérer, c'est être heureux.
(129 mots)

Texte 2

« Espérer, c'est être heureux », comme l'affirme bien l'auteur de ce texte. Il n'est pas un mystère que dès qu'un homme cherche le bonheur, il est condamné à ne pas le trouver. Le bonheur n'est bonheur que quand vous le tenez.
(46 mots)

2 Alain, *Propos sur le bonheur*, Gallimard, 1926.

3 **Rédigez votre propre résumé (en 40 mots) du texte 1 de l'exercice 2.**

____

____

____

____

4 **Pour rendre les phrases suivantes plus concises, remplacez les groupes de mots écrits en gras par un nom de même sens.**

Exemple : **Le fait qu'il soit sociable** l'aide beaucoup dans son travail.
Sa sociabilité l'aide beaucoup dans son travail.

a) **L'homme qui conduisait l'automobile** a répondu à toutes leurs questions.

____

b) **Les gens qui ne savent ni lire ni écrire** ont de la difficulté à s'intégrer dans la société.

____

c) **Ceux qui ne croient jamais à ce qu'on leur raconte** sont parfois très surpris par la réalité.

____

d) **Le fait de distribuer** les responsabilités a rendu l'équipe plus efficace.

____

e) **Ses parents, sa sœur, ses frères** et lui ont pris l'avion en même temps.

____

5 **Pour rendre les phrases suivantes plus concises, remplacez les groupes de mots écrits en gras par un adjectif de même sens.**

Exemple : Certaines scènes du film font référence à des situations **qui se passent dans la réalité.**
Certaines scènes du film font référence à des situations **réelles.**

a) Les comédiens **qui sont en proie à la nervosité** risquent d'avoir de la difficulté à interpréter ce rôle.

____

b) Il était **quelqu'un qui ne croyait pas en Dieu.**

____

c) À la fin de la nouvelle, les personnages sont placés dans un contexte **qui rappelle le paradis.**

____

d) Ils se sont servis de documents **qui ne respectent pas la loi** pour prouver leur innocence.

____

e) Il est difficile de travailler avec une personne **qui manque d'ordre.**

____

6 **Pour rendre les phrases suivantes plus concises, remplacez les groupes de mots écrits en gras par un verbe de même sens. Tenez compte des transformations que cette modification peut entrainer.**

Exemple : On essayait de ne pas **donner une importance dramatique à l'évènement.**
On essayait de ne pas **dramatiser.**

a) Il était difficile pour lui de **faire un choix.**

____

b) Vous ne savez pas **faire de différence entre** vos propres désirs et ceux de vos proches.

c) Cette communauté avait tendance à **accorder** à ce type de rencontre **un caractère sacré**.

d) Ils ont décidé d'**utiliser l'informatique dans** la gestion de leurs affaires.

e) Il est nécessaire de **rendre concrètes** vos idées.

7 Pour rendre les phrases suivantes plus concises, remplacez les groupes de mots écrits en gras par un adverbe de même sens.

Exemple : Il ne faut pas suivre ces consignes **de manière aveugle**.
Il ne faut pas suivre **aveuglément** ces consignes.

a) Robert est parti **à la hâte**.

b) Ils se rencontraient **à intervalles réguliers**.

c) De nombreux problèmes ont été signalés **ces derniers temps**.

d) Les étudiants ont répondu **de manière bizarre** au questionnaire.

e) Cet écrivain est apprécié **dans le monde entier**.

8 Pour rendre les phrases suivantes plus concises, remplacez les phrases subordonnées écrites en gras par des groupes de mots de même sens.

Exemple : **Si elle n'a pas de voiture**, elle aura de la difficulté à nous rejoindre.
Sans voiture, elle aura de la difficulté à nous rejoindre.

a) **Que vous soyez incapable de comprendre** la situation me laisse perplexe.

b) Elle détestait **qu'ils lui posent des questions impertinentes**.

c) Les recherches n'ont pas démenti **ce que les experts supposaient déjà**.

d) **Bien que ses sœurs et ses parents soient inquiets**, elle partira faire des études à l'étranger.

e) **Parce qu'ils n'avaient plus de patience**, ils ont pris un taxi.

9 Résumez le texte de la page suivante en 150 à 200 mots.

Génération ego[3]

Quand on prend le temps d'y penser deux minutes, ça devient vite une évidence : l'autographe, cette signature de vedette collectée frénétiquement et conservée avec fétichisme sur un bout de papier, un billet de spectacle, une photo de l'artiste, la paume d'une main, le haut d'un sein ou la manche d'un t-shirt, n'a vraiment plus la cote. Il a été remplacé depuis quelque temps par l'égoportrait, cette photo de soi prise à bout de bras avec un téléphone dit intelligent et dans laquelle, désormais, le ou la groupie se met en scène avec son idole pour mieux partager ce cliché, volant au ras les narcisses sur les réseaux sociaux.

[...]

Exister par la photo, particulièrement lorsqu'elle met en scène le photographe dans une composition où le « moi » place forcément le décor au second plan : la tendance n'est pas nouvelle. Mais elle semble avoir pris, par ces temps d'été où l'image se partage pour raconter d'autres histoires que le quotidien ordinaire, une couche de plus.

Début juillet, les cyclistes du Tour de France en ont eu une démonstration par l'absurde en voyant se multiplier le long du parcours des spectateurs au comportement plutôt étrange : après avoir attendu des heures l'arrivée des coureurs, ces amateurs de vélo leur tournaient finalement le dos pour mieux se mettre en vedette dans un égoportrait où la Grande Boucle se retrouvait alors en fond d'écran, et ce, pour mieux le partager. La pratique, en apparence amusante, a rapidement été décriée par les coureurs en raison des risques de chute et d'accident qu'elle induisait : c'est que dos à un peloton de cyclistes, il est moins facile d'évaluer leur vitesse et leur trajectoire.

Au Tour de France, dans une salle de spectacle, dans un festival urbain, pour souligner un départ (ou une arrivée), l'égoportrait est désormais le chemin le plus court – et le moins compliqué à produire, puisqu'il ne demande pas une maitrise trop grande d'une langue – pour raconter une histoire, une aventure, un sentiment, et en faire profiter narcissiquement la terre entière. Parfois, avec pas tout à fait les résultats escomptés.

[...]

L'égoportrait permet d'être au centre de l'attention, y compris dans les situations d'urgence où ces photos trouvent désormais facilement leur place : devant un accident de voiture sur l'autoroute, pas très loin d'une chute mortelle, d'un itinérant saoul et abruti au sol ou encore lors d'une évacuation, comme cela s'est produit le 21 juillet dernier à Vancouver. Le *Sky Train* est tombé en panne entre deux stations, en pleine heure de pointe, forçant les passagers à circuler en hauteur entre deux voies, comme l'a exhibé une certaine Luisa M. sur son compte Twitter, avec un air presque satisfait au premier plan et devant une interminable file de « rescapés » du drame.

Contre une grosse poignée de dollars, cette jeune femme pourrait d'ailleurs imprimer cette photo sur ses toasts le matin, avec la complicité d'une compagnie du Vermont qui, au milieu de l'été, a mis sur le marché un grille-pain très en phase avec le présent capable d'imprimer des égoportraits sur des tranches de pain grillé. Une façon comme une autre de se rappeler chaque matin, devant un bon café, que le culte de la personnalité, d'ordinaire réservé à quelques vedettes et petits dictateurs, est désormais bel et bien une chose qui s'est démocratisée.

(582 mots)

3 Fabien Deglise, « Génération ego », *Le Devoir*, [en ligne], [http ://www.ledevoir.com] (consulté le 5 aout 2014).

Révision du résumé

Liste de vérification

PRÉPARATION DU RÉSUMÉ

- [ ] J'ai lu le texte une première fois et j'ai dégagé le sujet, le ton et l'intention de l'auteur.
- [ ] J'ai lu le texte une seconde fois et j'ai cherché les mots difficiles dans le dictionnaire.
- [ ] J'ai surligné les mots clés.
- [ ] J'ai souligné les marqueurs de relation.
- [ ] J'ai repéré et séparé par une double barre verticale (//) les grandes parties du texte.
- [ ] J'ai reformulé les idées principales et les idées secondaires dans la marge du texte.
- [ ] J'ai dressé le plan du texte en utilisant des phrases non verbales.

RÉDACTION DU RÉSUMÉ

- [ ] J'ai formulé le résumé dans mes propres mots sans citations ou exemples.
- [ ] J'ai conservé l'ordre dans lequel les idées sont présentées.
- [ ] J'ai réduit le texte selon le nombre de mots ou de lignes demandé.
- [ ] Je suis resté(e) fidèle au texte.
- [ ] J'ai gardé un point de vue objectif dans la reformulation.
- [ ] J'ai rédigé le résumé au présent, dans le registre standard de la langue.
- [ ] J'ai évité les formules d'attribution.
- [ ] J'ai utilisé des tournures brèves, des synonymes, des termes précis et englobants.
- [ ] J'ai utilisé des marqueurs de relation pour assurer la continuité et la progression.
- [ ] J'ai respecté les règles d'orthographe d'usage, de grammaire et de ponctuation.
- [ ] J'ai compté et indiqué à la fin de mon résumé le nombre de mots.

CHAPITRE 5 RÉDIGER un texte informatif

Le but du texte informatif

Le texte informatif sert à communiquer des informations, de manière précise, claire et logique, dans le but de donner des explications ou de renseigner le lecteur à propos d'une personne, d'un objet, d'un lieu, d'un phénomène, d'un mode de fonctionnement, d'évènements, d'idées, etc.

On trouve ce type de texte dans les ouvrages scientifiques, les encyclopédies, les manuels scolaires, les guides touristiques, les magazines, les journaux, les livrets d'instructions, les livres de recettes, etc.

Par ailleurs, des séquences informatives peuvent être intégrées dans un texte narratif ou expressif (pour décrire un lieu, une époque, un phénomène, un personnage, un objet, etc.) ou encore dans un texte argumentatif pour illustrer une affirmation. Inversement, le texte informatif peut comprendre un texte narratif qui illustre un ou plusieurs aspects énoncés.

Les caractéristiques du texte informatif

Les indices linguistiques

Dans un texte informatif, on trouve généralement :

- un vocabulaire concret, précis et juste, ou un vocabulaire spécialisé ;
- des verbes conjugués au présent de l'indicatif ;
- des marqueurs de relation pour souligner les étapes de la communication de l'information (*d'abord*, *ensuite*, *enfin*, etc.) ou pour introduire des exemples (*ainsi*, *par exemple*, *de cette façon*, etc.).

La structure du texte informatif

- Comme tout texte bien structuré, le texte informatif comporte une introduction, un développement et une conclusion.
- Le développement est organisé progressivement, selon les aspects (idées principales) et les sous-aspects (idées secondaires) du sujet présenté.
- Chaque aspect est généralement développé dans un paragraphe et peut être mis en évidence à l'aide d'un intertitre.
- Dans un texte informatif, le point de vue est généralement objectif ; l'auteur ne prend pas position à l'égard du sujet présenté.

L'organisation graphique

Un texte informatif peut :

- être disposé en colonnes (article de périodique ou d'encyclopédie) ;
- comporter des paragraphes numérotés et séparés par des blancs pour organiser les informations et faciliter la lecture ;
- contenir des titres et des intertitres qui ont des polices de caractères différentes pour indiquer l'importance des informations ;
- être accompagné d'illustrations, de photos et de schémas pour expliquer le propos ;
- contenir des citations d'un autre auteur (la référence exacte de la citation doit être donnée dans l'article ou en bas de page).

La rédaction d'un paragraphe informatif

Un paragraphe informatif bien construit est constitué de quatre types d'idées qui permettent d'organiser le propos d'une manière logique.

La structure du paragraphe informatif

1 Idée énoncée

C'est une courte introduction qui présente l'idée principale du paragraphe.

2 Idée expliquée et idée illustrée

C'est le noyau du paragraphe. Il présente une brève explication de l'idée principale, ainsi que des exemples, des faits, des statistiques, des données, des témoignages ou des citations qui illustrent le propos.

3 Idée résumée (conclusion partielle)

C'est la synthèse de l'idée principale qui a été énoncée au début du paragraphe puis développée. Cette brève conclusion peut annoncer l'idée du paragraphe suivant et donc servir de transition (dans le cas d'un texte de plusieurs paragraphes), ou encore amener un nouvel aspect lié au sujet (dans le cas d'un texte d'un seul paragraphe).

Marqueurs de relation p. 35

En général, la transition entre les divers paragraphes d'un texte est faite au moyen d'un **marqueur de relation** (*tout d'abord*, *ensuite*, *enfin*, etc.). Il est néanmoins possible de ne pas utiliser de marqueurs de relation, à condition de bien assurer la progression des idées.

EXEMPLE DE PARAGRAPHE INFORMATIF	
La technique de l'impression 3D est intéressante, surtout pour la conception et la production de pièces complexes, impossibles à usiner par les technologies traditionnelles. //	**Idée énoncée**
Ainsi, grâce à la fabrication additive, « on peut combiner de façon parfaitement contrôlée des céramiques et des poudres métalliques », indique l'ingénieur Vladimir Brailovski, professeur de génie mécanique à l'École de technologie supérieure (ÉTS) à Montréal. **De plus**, on peut même faire varier la concentration de ces éléments de synthèse dans l'objet que l'on veut imprimer pour obtenir « un gradient de porosité ou une architecture plus ou moins dense ». **Depuis peu**, il est **aussi** possible d'imprimer directement des cellules, une par une, grâce au *bioprinting*, ou même des médicaments, molécule par molécule. //	**Idée expliquée et illustrée**
En conclusion, l'imprimante 3D s'avère un outil technologique idéal pour produire des pièces de très haute complexité, impossibles à obtenir par des méthodes de fabrication classiques. Source : Adapté de Marine Corniou, « Le futur fait bonne impression », *Québec Science*, mars 2014, p. 20-21. (149 mots)	**Idée résumée**

L'introduction d'un exemple

Pour mieux faire comprendre un fait, chaque idée doit être expliquée et illustrée à l'aide d'exemples bien choisis. Il faut cependant veiller à ne pas surcharger son texte d'exemples. Ceux-ci doivent être expliqués et illustrer clairement l'idée principale.

QUELQUES FORMULES D'INTRODUCTION D'UN EXEMPLE	
Ainsi...	Tel est le cas, par exemple, de...
Il en va ainsi de...	On peut citer à cet effet le cas de...
Par exemple...	On peut mentionner...
De cette façon...	Pour reprendre l'expression utilisée par...
Ceci illustre bien...	Comme en témoigne...
Considérons l'exemple suivant :	Un exemple significatif nous est fourni par...
Citons, à ce propos, l'exemple suivant :	Un autre exemple nous est fourni par...
Imaginons/Imaginez, par exemple...	L'exemple de... confirme que...
Prenons (à ce propos) l'exemple de...	En voici une illustration :
Prenons/Considérons (comme exemple/à titre d'exemple) le cas de...	En voici un exemple :
Regardons de plus près par exemple le cas de...	... en est un bon exemple...
Rappelons le cas de...	... nous fournit un exemple de ceci parlant de...
Si l'on prend le cas de...	

exercices

1 Dans le paragraphe ci-dessous[1], séparez les idées par une double barre oblique (//). Indiquez ensuite dans la colonne de droite à quel type d'idée elles correspondent : idée énoncée, idée expliquée et illustrée, et idée résumée.

Malgré le fait que nous perdions constamment des cellules de peau, les tatouages ne disparaissent pas. La peau humaine est composée de deux couches, l'épiderme et le derme en dessous, beaucoup plus épais. Lors de la réalisation d'un tatouage, le colorant est injecté en profondeur au niveau des cellules du derme. Relativement stable, celui-ci connait peu de changements au cours d'une vie. En surface, les cellules sont toutes remplacées, mais à l'étage du derme, seules des molécules individuelles sont remplacées. Une fois que vous avez votre tatouage, il est là pour toujours... Ce n'est pas la chimie du corps qui vous aidera à vous en débarrasser!	

1 Paul Hainey, *Pourquoi les vaches ne peuvent-elles pas descendre les escaliers ?*, Paris, Hachette-Marabout, 2008, p. 139.

2 **Dans le paragraphe ci-dessous[2], surlignez les marqueurs de relation. Ensuite, séparez les idées par une double barre oblique (//) et indiquez dans la colonne de droite à quel type d'idée elles correspondent : idée énoncée, idée expliquée 1, idée illustrée 1, idée expliquée 2, idée illustrée 2 et idée résumée.**

La flexibilité de la technologie 3D enchante, entre autres, les milieux médicaux. Ainsi, il est déjà possible de scanner et de numériser une partie du corps, et de la restituer en « densité réelle ». Idéal pour apprendre l'anatomie ou s'entrainer, par exemple, à placer des implants dentaires. Idéal aussi pour fabriquer du cartilage artificiel ou reproduire l'architecture spongieuse complexe de l'os. C'est ce qu'ont fait des chercheurs du Massachusetts Institute of Technology en 2013, en imprimant deux polymères en fines couches de quelques micromètres et en imitant la géométrie osseuse naturelle. Résultat, l'os artificiel ainsi bâti est 22 fois plus résistant que les polymères à l'état brut. Mais ce n'est pas tout. Ces « échafaudages » artificiels peuvent être garnis de cellules souches humaines pour former des organes de synthèse. De cette façon, une oreille en cartilage a récemment été fabriquée. En conclusion, la médecine est un domaine qui profite pleinement des avancements de la fabrication additive.	

3 **Dans le paragraphe suivant[3], l'ordre des phrases a été bouleversé. Reconstituez-en l'ordre logique à l'aide de leur numéro.**

1. En effet, il est difficile de donner une promotion à une femme qui cumule moins d'heures pour des raisons familiales sans causer de jalousie, reconnait Dana Ades-Landy.

2. Dans ce contexte, les femmes qui réussissent à défoncer le plafond de verre sont celles qui arrivent à accumuler 50, 60, voire 70 heures par semaine. Pas le choix. « Ce n'est pas réaliste de penser qu'on peut être un dirigeant et avoir la même flexibilité qu'aux autres niveaux, pense Souha Ezzedeen. Ces personnes sont les ultimes responsables de la compagnie. »

3. Les absences du travail ont un effet désastreux sur l'accès des femmes aux postes de direction, constate la professeure à l'École de gestion des ressources humaines de l'Université York, Souha Ezzedeen.

4. « Prenons un gars qui travaille 20 heures par jour et une femme qui, pour être avec ses enfants, s'en tient à son horaire normal. Je comprendrais le gars qui trouverait ça injuste que la femme obtienne la promotion et pas lui. »

____

4 **Donnez un titre au paragraphe de l'exercice 3.**

____

2 Adapté de Marine Corniou, « Le futur fait bonne impression », *Québec Science*, mars 2014, p. 18-22.

3 Adapté de Mélissa Guillemette, « Patronne et mère, un modèle à inventer », *Magazine Jobboom*, avril 2014, [en ligne], [http ://www.jobboom.com/carriere/patronne-et-mere-un-modele-a-inventer/] (consulté le 20 juillet 2014).

5 Rédigez la conclusion du paragraphe suivant[4], puis donnez-lui un titre.

Titre : ____

Les mères de famille qui occupent des postes de haute direction sont rares. Certes, les jeunes Québécoises sont nombreuses à gravir les échelons dans les milieux de travail. Chez les 15-34 ans, elles occupent 46,5 % des postes de gestion contre 53,5 % pour les hommes, soit presque la parité. Mais ça se gâte quand vient le temps d'accéder au sommet des hiérarchies. Au sein des équipes de direction, des données indiquent que les femmes occupent moins de 20 % des postes. La situation stagne depuis 2000, année à partir de laquelle le phénomène est documenté.	**Idée énoncée** **Idée expliquée et illustrée**
____ ____ ____	**Idée résumée**

6 Rédigez un paragraphe d'environ 150 mots sur le sujet suivant :

L'impact des nouvelles technologies sur l'apprentissage des étudiants.

Faire le plan d'un texte informatif

Avant de procéder à la rédaction du texte informatif, il faut en faire le plan. Il s'agit d'une étape importante du travail, où l'on organise ses idées de manière progressive, cohérente et logique. Le plan doit présenter trois parties : l'**introduction**, le **développement** et la **conclusion**. Il ne doit pas contenir de phrases, mais plutôt des expressions simples et sans verbes conjugués.

MODÈLE DE PLAN (POUR UN TEXTE DE 500 MOTS)	
STRUCTURE	**Sujet :** Le potentiel de la technologie de l'impression 3D
INTRODUCTION (un paragraphe d'environ 80 mots)	
1 Sujet amené (S.A.) On présente le sujet de façon générale, sans le nommer (fait d'actualité, réflexion philosophique, film récent, anecdote, définition, citation, etc.).	La technologie de l'impression 3D
2 Sujet posé (S.P.) On nomme le sujet directement.	Le potentiel de la technologie de l'impression 3D
3 Sujet divisé (S.D.) On présente les aspects qui seront développés.	1. pour la médecine 2. pour l'aéronautique
DÉVELOPPEMENT (deux paragraphes d'environ 170 mots chacun) • Chacun des aspects du sujet présentés dans l'introduction est développé dans un paragraphe. • Pour lier les idées entre elles, on se sert de marqueurs de relation (*d'abord, ensuite, par ailleurs, par conséquent*, etc.).	

↓

4 *Idem.*

MODÈLE DE PLAN (POUR UN TEXTE DE 500 MOTS)	
Aspect 1	
Idée énoncée	Le potentiel de l'impression 3D en médecine
Idée expliquée	Possibilité de reproduire des parties du corps humain
Idée illustrée	Apprentissage de l'anatomie, création d'implants, de prothèses, possibilité d'imprimer des cellules et des molécules
Idée résumée	Le potentiel de l'impression 3D dans le domaine de la médecine
Aspect 2	
Idée énoncée	Le potentiel de l'impression 3D en aéronautique
Idée expliquée	Fabrication d'outils, de pièces et de nourriture
Idée illustrée	Pièces de moteur, de décoration de cabine, du système d'arrivée d'air et du train d'atterrissage, pièces de remplacement, pizza intersidérale
Idée résumée	Le potentiel de l'impression 3D dans le domaine de l'aéronautique
CONCLUSION (un paragraphe d'environ 80 mots)	
1 Marqueur de relation de conclusion	*Pour terminer..., en conclusion..., pour conclure..., en fin de compte...,* etc.
2 Rappel du sujet	Le potentiel de l'impression 3D
3 Synthèse des aspects abordés On fait la synthèse des aspects développés dans chaque paragraphe. Cette synthèse doit se faire avec des mots différents de ceux employés dans les paragraphes.	• pour la médecine • pour l'aéronautique
4 Ouverture C'est une phrase qui provoque la réflexion, qui laisse entrevoir une autre perspective ou qui présente un autre point de vue sur le sujet.	La technologie 3D et les questions d'éthique

Les étapes de rédaction du texte informatif

1 Planifier la rédaction

- Choisir le sujet.
- Dresser une liste d'aspects principaux et secondaires à aborder.
- Organiser les idées dans un plan.

2 Écrire le texte

Utiliser le plan pour rédiger le brouillon, le relire et le modifier au cours de la rédaction.

Liste de vérification p. 90

Grille de révision p. 161

3 Réviser et corriger le texte

Après la rédaction du brouillon, relire le texte et le corriger.

Exemple de texte informatif

Le potentiel de la technologie de l'impression 3D

[Introduction]

[S.A.] La technologie de l'impression 3D existe depuis environ 30 ans, mais c'est de nos jours qu'elle se démocratise rapidement, avec la baisse des prix des imprimantes et l'amélioration de leur performance. **[S.P.] Ainsi**, qu'on utilise des plans en libre accès, qui foisonnent sur Internet, ou un scanner 3D pour reproduire un objet existant, il est de plus en plus facile de fabriquer divers objets grâce à la technologie additive. **[S.D.]** Son potentiel est exploité avec succès notamment en **médecine** et en **aéronautique**.

[Développement]

[Idée énoncée] Tout d'abord, les chercheurs et les industriels explorent de plus en plus le potentiel de la fabrication additive dans le domaine de la **médecine**. **[Idée expliquée et illustrée] Ainsi**, il est déjà possible de scanner et de numériser une partie du corps, puis de la restituer en densité réelle. Idéal pour apprendre l'anatomie, par exemple, ou placer des implants dentaires ou des prothèses auditives adaptés à chaque patient. Et ce n'est que le début. Récemment, aux Pays-Bas, une femme atteinte d'une grave maladie inflammatoire s'est fait greffer une mâchoire inférieure en titane parfaitement adaptée à sa morphologie.

De plus, ces « échafaudages » artificiels peuvent être garnis de cellules souches humaines pour former des organes de synthèse (par exemple, une oreille en cartilage a récemment été fabriquée). **D'ailleurs**, depuis peu, il est aussi possible d'imprimer directement des cellules, une par une, ou même des médicaments, molécule par molécule. **[Idée résumée] Bref**, les possibilités de la technologie additive semblent illimitées dans les milieux médicaux.

[Idée énoncée] Ensuite, ce sont les constructeurs de l'**aéronautique** qui s'enthousiasment pour la fabrication additive. **[Idée expliquée et illustrée]** Un exemple significatif nous est fourni par la compagnie Boeing, qui a conçu plus de 22 000 pièces produites par impression 3D dans ses avions, depuis le moteur jusqu'à la décoration de la cabine. Au Québec, dans l'usine de Mirabel, Pratt & Whitney prévoit incorporer jusqu'à 25 éléments fabriqués en 3D dans le moteur du CSeries de Bombardier. Et en décembre dernier, le groupe britannique BAE Systems, spécialisé dans la défense et l'aérospatiale, a fait voler pour la première fois un avion de chasse équipé de pièces issues de l'impression 3D (dans le système d'arrivée d'air et le train d'atterrissage). Même la NASA s'apprête à envoyer dans l'espace une petite imprimante pour que les astronautes de la Station spatiale internationale puissent fabriquer sur place des outils ou des pièces de remplacement. Elle finance aussi un projet d'imprimante à nourriture destinée à produire, entre autres, des pizzas intersidérales. **[Idée résumée]** Force est de reconnaitre, **en conclusion**, que la technologie de l'impression 3D s'avère un outil révolutionnaire pour le domaine de l'aéronautique.

[Conclusion]

[Rappel du sujet] Pour terminer, la fabrication par l'impression 3D connait un essor incroyable de nos jours. **[Synthèse des aspects abordés]** Grâce à son potentiel, des domaines importants de la vie comme la médecine et l'aéronautique connaissent des avancements sans précédent ouvrant la voie à de nouveaux progrès révolutionnaires. **[Ouverture] Cependant**, aussi prometteuse soit-elle, la fabrication additive devrait être strictement encadrée pour que la reproduction d'objets ne contrevienne pas aux normes de l'éthique.

Source : Adapté de Marine Corniou, « Le futur fait bonne impression », *Québec Science*, mars 2014, p. 18-22.

exercices

1 **Le journal étudiant prépare un dossier informatif sur la signification culturelle des cheveux. Vous avez écrit un article dans lequel vous informez vos lecteurs sur les propriétés des cheveux, mais il vous reste à rédiger l'introduction et la conclusion de votre article et à lui donner un titre.**

Titre : ____

Introduction (environ 80 mots) :

____

____

____

____

____

____

____

____

____

____

Développement[5]

La toison moyenne d'un humain se compose d'environ 150 000 cheveux qui poussent – toujours en moyenne – de 1,5 cm par mois. Cela donne au total 16 km par an – soit, au cours d'une vie, quelque chose comme la distance aller-retour de Montréal à New York, à quelques poils près, selon la durée de vie considérée comme normale. Chacun de ces cheveux dispose d'une « espérance de croissance » d'environ trois ans ; nous en perdons chaque jour entre 50 et 100. Publiés par la société L'Oréal, ces chiffres donnent bien sûr le vertige.

Toutefois, la propriété la plus étonnante du cheveu (45 microns de diamètre) est sans doute sa résistance mécanique. Il est capable de soutenir sans se briser un poids de 100 g, soit environ 15 tonnes pour la chevelure complète. Cette incroyable solidité provient de ce qu'il est composé de l'un de ces matériaux composites dont rêvent les ingénieurs : une fine moelle centrale à cellules allongées, entourée d'une épaisse gaine de fibres de kératine, imbriquées comme les tuiles d'un toit. Cette structure complexe – constituée pour l'essentiel d'une protéine (la kératine) présente sous deux formes distinctes – confère au cheveu non seulement sa résistance, mais aussi sa souplesse et son élasticité. Par exemple, il s'allonge (jusqu'à 50 %) sous l'action de l'eau – ce qui lui vaut d'être utilisé dans les hygromètres servant à mesurer l'humidité de l'air. [...]

5 Fabien Gruhier, « D'étonnantes propriétés », *Québec Science*, mars 2013, p. 41.

Conclusion (environ 80 mots) :

____

____

____

____

____

____

____

____

____

____

2 **Pour financer vos études, vous travaillez à temps partiel dans une grande entreprise. Chaque mois, le magazine de l'entreprise publie un article qui donne de l'information aux employés sur un sujet les concernant. Ce mois-ci, vous devez rédiger un article d'environ 500 mots sur le repos pendant le travail. Vous avez déjà écrit l'introduction. Il vous reste à rédiger deux paragraphes de développement et la conclusion.**

> ## Énergie renouvelable[6]
>
> Au Québec, de 1998 à 2010, le temps de travail a augmenté en moyenne de 3,9 heures par semaine, alors que le temps de loisirs a diminué presque d'autant au sein de la population active. On réduit ses heures de sommeil, on mange devant l'ordinateur, on apporte du travail à la maison, on y répond aux courriels professionnels et, quand les signes de fatigue se manifestent, on se rabat sur le café. Cependant, l'énergie que nous consacrons au travail est une ressource limitée. Prévoir dans son travail des périodes de repos permet de reprendre des forces et de devenir plus efficace.

3 **Vous arrivez d'un voyage à vélo, et le centre des loisirs de votre quartier vous propose d'écrire, pour son site Web, une présentation d'environ 300 mots pour informer ses membres des endroits que vous avez visités.**

4 **Choisissez une personnalité marquante de votre champ d'études et faites le plan d'une biographie d'environ 500 mots sur elle.**

5 **Choisissez un sujet lié à votre champ d'études et développez-le dans un texte d'environ 500 mots. Faites-en d'abord le plan.**

---

6 Adapté de Christine Lanthier, « Énergie renouvelable », *Magazine Jobboom*, avril 2014, vol. 15, no 2, p. 29.

Plan du texte informatif

STRUCTURE **Titre du texte :** ______________________

Introduction

Sujet amené ______________________

Sujet posé ______________________

Sujet divisé ______________________

Développement

Aspect 1

Idée énoncée ______________________

Idée expliquée ______________________

Idée illustrée ______________________

Idée résumée ______________________

Aspect 2

Idée énoncée ______________________

Idée expliquée ______________________

Idée illustrée ______________________

Idée résumée ______________________

Conclusion

Rappel du sujet ______________________

Synthèse des aspects ______________________

Ouverture ______________________

Révision d'un texte informatif

Liste de vérification

Préparation de la rédaction

- [ ] J'ai dressé une liste d'aspects principaux et secondaires à aborder.
- [ ] J'ai organisé mes idées dans un plan en utilisant des phrases sans verbes conjugués.

Rédaction du texte

- [ ] J'ai structuré mon texte en trois parties : introduction, développement, conclusion.
- [ ] J'ai construit une introduction en trois parties (sujet amené, sujet posé, sujet divisé).
- [ ] J'ai développé chaque aspect dans un paragraphe structuré (idée énoncée, idée expliquée, idée illustrée, idée résumée).
- [ ] J'ai construit une conclusion en trois parties (rappel du sujet, synthèse des aspects, ouverture).
- [ ] J'ai utilisé des marqueurs de relation pour assurer la continuité et la progression.
- [ ] J'ai gardé un point de vue objectif dans la formulation.
- [ ] J'ai rédigé le texte au présent, dans le registre standard de la langue.
- [ ] J'ai respecté les règles d'orthographe d'usage, de grammaire et de ponctuation.
- [ ] J'ai compté et indiqué à la fin de mon texte le nombre de mots.

CHAPITRE 6 RÉDIGER un texte expressif

Le but du texte expressif

Le texte expressif sert à exprimer des sensations, des émotions, des sentiments, des gouts personnels, des opinions, des aspirations, etc.

Exemples :

Sensations : La douce brise du matin sur ma peau, le bruit saccadé des vagues qui déferlaient sur la plage et la lumière filtrée me faisaient frissonner de plaisir.

Émotions : Quelle nouvelle extraordinaire je venais de recevoir ! J'étais fou de joie. J'ai longtemps baigné dans cet état d'euphorie.

Sentiments : Je ressentais une honte profonde d'avoir fait une telle gaffe. Je me sentais mortifiée et j'avais les joues en flammes. Toute rouge, j'ai quitté la salle sous les regards étonnés de l'auditoire.

Gouts : J'aime être entouré par mes amis, mais je déteste changer mes plans pour aller les rencontrer quand ils m'appellent.

Opinions : Je suis convaincu que la cigarette électronique n'est pas la meilleure solution pour améliorer la santé des gens.

Aspirations : Enfant, je rêvais de grandir vite. J'aspirais à devenir architecte et je me voyais déjà en train de concevoir des bâtiments sous-marins.

Le point de vue dans un texte expressif est subjectif ; l'auteur prend position à l'égard du sujet présenté ou il y exprime ses sensations, ses émotions, ses sentiments, ses gouts personnels, etc.

Ce type de texte est propre à l'autobiographie, au journal intime, à la lettre personnelle, au courriel, au blogue, à la lettre d'opinion, à l'éditorial, à la chronique, au témoignage, au poème, à la chanson ou aux textes narratifs, où l'expression personnelle des réactions de l'auteur ou des personnages est fort suggestive.

Les caractéristiques du texte expressif

Les indices linguistiques

Dans un texte expressif, on trouve généralement :

- l'emploi de la 1re et de la 2e personne du singulier ou du pluriel (pronoms et déterminants possessifs) : **J'**aimerais pouvoir **vous** décrire en détail cette apparition ;
- le présent de l'indicatif, du conditionnel, du subjonctif, de l'impératif ;
- un vocabulaire révélateur des gouts, sensations, émotions, sentiments : affinité, attachement, amour, désaccord, aversion, haine, etc. ;

Figures de style p. 30

Registres de langue p. 156

- des termes appréciatifs : enthousiasme, fantastique, admirer, courageusement, etc. ;
- des termes dépréciatifs : frustration, affreux, ignorer, scandaleusement, etc. ;
- des adverbes traduisant des nuances personnelles : peut-être, surement, affreusement, extrêmement, etc. ;
- de nombreuses figures de style : métaphore, comparaison, gradation, etc. ;
- des registres de langue variés : des structures et des mots familiers peuvent apparaitre dans un texte écrit dans un registre standard ou soutenu ;
- des phrases exclamatives et interrogatives : Quelle horreur ! D'où venait cette angoisse ? ;
- des constructions exprimant le point de vue ou un état d'âme de l'auteur : je suis certain ; nous sommes touchés (nerveux, émus, etc.) ; je ne prétends pas que..., mais... ; à mon avis, il est inacceptable (terrible, formidable, etc.) ; le pire, c'est que... ; etc. ;
- une ponctuation marquée par le point d'exclamation (!), le point d'interrogation (?) et les points de suspension (...).

La structure du texte expressif

La structure du texte expressif est généralement libre. La forme peut varier. Cependant, dans un contexte scolaire, on peut choisir de rédiger un texte expressif structuré.

Les parties d'un texte expressif structuré sont les suivantes :

- **L'introduction**, qui présente le sujet et annonce les idées à développer.
  - **Le sujet amené** présente le sujet de manière générale.
  - **Le sujet posé** nomme le sujet.
  - **Le sujet divisé** présente les aspects qui seront développés.
- **Le développement**, où les gouts, les sentiments, les opinions sont expliqués et illustrés à l'aide d'exemples.
  - Le développement doit être séparé en paragraphes ;
  - Chaque paragraphe développe une idée principale (un aspect du sujet) ;
  - La première phrase du paragraphe annonce l'idée principale ;
  - Les phrases suivantes développent l'idée principale et la complètent en la justifiant à l'aide d'**exemples**, de **comparaisons**, d'**explications** ou de **descriptions** (des sous-aspects).

    Exemples :

    Exemple : Le blogue est un moyen efficace de communiquer mes idées. Par exemple, j'y publie chaque semaine des articles où je m'exprime sur des sujets d'actualité.

    Comparaison : J'adore mon téléphone intelligent. Comme la plupart des jeunes, dès que je sors de mes cours, je me connecte aux médias sociaux pour reprendre contact avec mes amis.

    Explication : Je préfère le téléphone intelligent à mon portable parce qu'il me permet une consultation plus facile et plus rapide.

    Description : Un téléphone intelligent, c'est formidable ! Ce petit objet miraculeux me permet de m'informer rapidement et de communiquer mes idées.
  - Des marqueurs de relation assurent le lien entre les idées.
- **La conclusion**, qui est le dernier paragraphe du texte. Elle contient :
  - un bref rappel du sujet ;
  - une synthèse des idées abordées ;
  - une ouverture où l'on peut exprimer un souhait, une hypothèse ou formuler une réflexion invitant à approfondir une idée, une situation, un problème.

Les étapes de rédaction du texte expressif

1 Planifier l'écriture du texte

Faire le plan du texte.

MODÈLE DE PLAN (POUR UN TEXTE D'ENVIRON 500 MOTS)	
STRUCTURE	**Titre du texte :** Perdu dans le bois avec 12 ados
Introduction	
Sujet amené	Excursion dans le bois avec un groupe d'adolescents
Sujet posé	Égarement dans le bois
Sujet divisé	Dissimulation de l'angoisse / Difficultés liées à la densité de la forêt / Plaintes de la part des jeunes / Joie d'avoir retrouvé le chemin
Développement	
Aspect 1 Sous-aspects	Dissimulation de l'angoisse Lutte pour cacher les signes du stress Chansons avec le groupe
Aspect 2 Sous-aspects	Difficultés liées à la densité de la forêt Difficulté à avancer Combat des moustiques et des mouches noires
Aspect 3 Sous-aspects	Plaintes de la part des jeunes Questionnement de la part des jeunes Déception de ne pas retrouver le chemin
Aspect 4 Sous-aspects	Joie d'avoir retrouvé le chemin Découragement visible du capitaine Signes de révolte de la part des jeunes Poursuite des recherches, la joie de retrouver le chemin
Conclusion	
Rappel du sujet	Perdus dans le bois
Synthèse des aspects	Dissimulation de l'angoisse / Difficultés liées à la densité de la forêt / Plaintes de la part des jeunes / Joie d'avoir retrouvé le chemin
Ouverture	Remise en question des conseils des supérieurs

2 ÉCRIRE LE TEXTE

Utiliser le plan pour rédiger le brouillon, le relire et le modifier au cours de la rédaction.

3 RÉVISER ET CORRIGER LE TEXTE

Après la rédaction du brouillon, relire le texte et le corriger.

Stratégies de révision et de correction p. 159

Exemple de texte expressif

Perdu dans le bois avec 12 ados

[Introduction]

[S.A.] Ils me suivaient l'un derrière l'autre, à travers les branches, en pleine forêt. Douze campeurs venus de la ville, douze adolescents et adolescentes de 13 ans, bruyants, dissipés et en sueur.
[S.P.] En apparence, j'étais plein d'assurance, plein de pep, comme on disait. Sauf que depuis une heure, nous avions perdu toute trace d'un quelconque sentier, et il fallait bien que je me rende à l'évidence : nous étions perdus.

[Développement]

[Aspect 1] Évidemment, il n'était pas question pour moi de montrer le moindre signe de stress aux jeunes. Pas question de leur dire que je ne savais plus trop où nous étions. Après tout, j'étais le responsable, le seul adulte de l'excursion, même si mon aide-moniteur, de deux ans mon cadet, me donnait un solide coup de main.

En façade, donc, pas de panique. Mais à l'intérieur, l'angoisse rongeait mes jeunes tripes de 18 ans. Je me voyais déjà monter un camp de fortune et organiser des relais pour maintenir, jour et nuit, un feu nourri afin d'alerter les secouristes. Je pensais aux parents des enfants, qui se sentaient rassurés par la bonne réputation de ce camp de vacances de Saint-Donat, niché sur le bord du majestueux lac Archambault.
– Allez, la gang, on chante : Mon père n'a plus que 29 poulets.
– Mon père n'a plus que 29 poulets.
– Marchant au pas accéléré.
– Marchant au pas accéléré.

[Aspect 2] Plus le temps avançait, plus la forêt se faisait dense. Il fallait casser les branches des épinettes pour avancer, péniblement. Et ceux qui connaissent les forêts de conifères du Nord se doutent bien qu'il fallait aussi, en ce début d'été, y affronter les mouches noires et autres moustiques assoiffés de sang.
– Car il en avait tren-ente.
– Car il en avait tren-ente.
– Et al-longez la jan-ambe.
– Et al-longez la jan-ambe.

[Parenthèse explicative] J'avais préparé l'excursion comme il se doit. La veille de notre départ pour deux jours, j'avais réuni mon groupe d'adolescents autour d'une carte du secteur, indiqué nos lieux de campement, donné un aperçu de nos repas. Surtout, je leur avais rappelé la liste des effets à apporter, insistant sur le chasse-moustique.
– Et allongez la jambe, la jambe, car la route est lon-ongue.
– Et allongez la jambe, la jambe, car la route est lon-ongue.

Mon barbu de patron, un habitué de ce genre d'expéditions, m'avait bien expliqué le chemin. C'est simple, simple, m'avait-il dit. D'abord, monter le mont Garceau. Puis, emprunter le sentier derrière la montagne de ski et suivre les balises. Après quelques kilomètres de marche, il n'y aura plus de balises, mais il suffira de descendre tout droit jusqu'à une route d'asphalte…

Simple, simple, mon œil. Bien sûr, je connaissais les rudiments de la boussole et de la survie en forêt, ayant moi-même été campeur et aide-moniteur, mais jamais je n'imaginais y avoir vraiment recours.

[Aspect 3] Et voilà que les jeunes, chargés comme des mulets, commençaient à se plaindre.
– Sais-tu où on va, Piffon ? me demande l'un d'eux en m'appelant par mon nom de camp.
– Oui, oui, pas de problème, c'est tout droit, en bas de la côte. On voit d'ailleurs que la forêt s'éclaircit. Allez, on chante : Mon père n'a plus que 28 poulets.
– Mon père n'a plus que 28 poulets.

Rendu en bas de la côte, dans la prétendue clairière, pas de sentier, pas de route asphaltée, pas de ruisseau, rien. Et ça recommence à monter.
– Est-ce qu'on est perdus, Piffon? J'ai chaud.
– Non, non. Je sais où on est, mais pas tout à fait. C'est le temps de boire de l'eau, les jeunes, avant de monter à nouveau. En haut, vous allez voir, ça va être tiguidou.

Rendu en haut, 500 mètres plus loin, on aperçoit à nouveau un genre de clairière à l'horizon. Je demande au singe du groupe de grimper dans un arbre pour tenter de lire l'avenir, me gardant toujours de prononcer le mot «perdu». Malheureusement, l'avenir ressemble au passé: une forêt remplie d'arbres. Le singe se dit tout de même plutôt certain que la clairière n'est pas un mirage.

[Aspect 4] Le pep du capitaine avait disparu, même en apparence, et le fond de l'air sentait l'insurrection. Malgré tout, on se remet à descendre. Et au bout de quelques minutes, eurêka! le miracle asphalté nous apparait, grandiose. Merci mon Dieu, que je me dis en moi-même. S'il avait fallu...

«Je vous l'avais dit. Je n'ai jamais douté», dis-je aux jeunes.

[Conclusion]

Trente ans plus tard, quand je repense à cette expédition, je me dis qu'il faut faire confiance à nos patrons, mais qu'il n'est pas interdit de les critiquer quand ils sont trop vagues sur la route à suivre.

Francis Vailles, *La Presse*, le 19 juillet 2014, [en ligne], [http://www.lapresse.ca] (consulté le 20 juillet 2014).

exercices

1 À partir des deux phrases fournies, faites une seule phrase où vous utiliserez l'infinitif ou le subjonctif présent.

Exemples: Je ne la trouve pas. Je suis frustré.
Je suis frustré de ne pas la trouver.

Il veut visionner le film avec nous. Je suis étonné.
Je suis étonné qu'il veuille visionner le film avec nous.

a) Je le rencontrerai cet après-midi. Je suis fou de joie.

____

b) Je ne peux pas aller à ta fête. Je regrette.

____

c) Il est parfois impoli. Je ne le supporte pas.

____

d) Je ne les vois pas. Je suis surpris.

____

e) Il arrive toujours en retard. Cela me déçoit.

____

f) Tu pars seul traverser l'Atlantique en bateau. Je n'en reviens pas.

____

g) Mes amis me font souvent des surprises. Je trouve cela formidable.

____

2 Complétez les phrases suivantes en employant une des expressions ci-dessous. Vous devez utiliser chaque expression une seule fois.

je suis révolté • je suis favorable • je suis contre • je déplore • j'ai horreur • je trouve bizarre • je m'oppose

a) ______________________ à ce que l'usage des drogues à des fins non médicales soit légalisé.

b) ______________________ que les hommes politiques aient recours à la chirurgie esthétique.

c) ______________________ à la légalisation du mariage homosexuel.

d) ______________________ que les produits cosmétiques ne soient pas naturels.

e) ______________________ des scientifiques qui cachent des vérités essentielles.

f) ______________________ que les gens interagissent moins en personne que par téléphone.

g) ______________________ la peine de mort.

3 Lisez le texte suivant[1], puis suivez les consignes.

> Dans l'océan de ta chevelure, j'entrevois un port fourmillant de chants mélancoliques, d'hommes vigoureux de toutes nations et de navires de toutes formes découpant leurs architectures fines et compliquées sur un ciel immense où se prélasse l'éternelle chaleur. [...]
>
> Dans l'ardent foyer de ta chevelure, je respire l'odeur du tabac mêlé à l'opium et au sucre ; dans la nuit de ta chevelure, je vois resplendir l'infini de l'azur tropical ; sur les rivages duvetés de ta chevelure je m'enivre des odeurs combinées de goudron, du musc et de l'huile de coco.

a) Trouvez la figure de style dominante et expliquez-la.

____

____

____

____

____

____

____

____

____

____

b) Dressez la liste des mots présents dans ces paragraphes qui expriment des sensations et classez-les par type de sensation (visuelle, auditive, olfactive, tactile).

Sensations visuelles : ______________________________

Sensations auditives : ______________________________

Sensations olfactives : ______________________________

Sensations tactiles : ______________________________

1 Charles Baudelaire, *Le Spleen de Paris*, 1869.

4 Lisez le texte suivant[2], puis suivez les consignes.

> À défaut de pouvoir regarder devant eux, [nos parents] regardaient devant nous, pour nous, leurs enfants.
>
> Pour nous, ils ne voyaient pas les tableaux noirs qu'ils essuyaient, les toilettes d'école qu'ils frottaient, les rouleaux impériaux qu'ils livraient. Ils voyaient seulement notre avenir. Mes frères et moi, nous avons ainsi marché dans les traces de leur regard pour avancer.

a) Indiquez les sentiments qui prédominent dans ce texte.

____

____

b) Relevez les indices de l'implication de l'auteure dans son message.

____

____

____

____

____

____

____

____

____

____

____

____

5 Complétez les comparaisons suivantes avec des termes de votre choix.

Notre amour reste là ______________________________

Têtu comme ______________________________

Vivant comme ______________________________

Cruel comme ______________________________

Bête comme ______________________________

Tendre comme ______________________________

Froid comme ______________________________

Beau comme ______________________________

Fragile comme ______________________________

---

2 Kim Thúy, *Ru*, Montréal, Libre Expression, p. 20-21.

6 **Lisez le poème suivant[3] et relevez les indices textuels qui permettent de le classer dans la catégorie des textes expressifs.**

Cet amour
Cet amour
Si violent
Si fragile
Si tendre
Si désespéré
Cet amour
Beau comme le jour
Et mauvais comme le temps
Quand le temps est mauvais
Cet amour si vrai
Cet amour si beau
Si heureux
Si joyeux
Et si dérisoire
Tremblant de peur comme un enfant dans le noir
Et si sûr de lui
Comme un homme tranquille au milieu de la nuit
Cet amour qui faisait peur aux autres
Qui les faisait parler
Qui les faisait blêmir
Cet amour guetté
Parce que nous les guettions
Traqué blessé piétiné achevé nié oublié
Parce que nous l'avons traqué blessé piétiné
achevé nié oublié
Cet amour tout entier
Si vivant encore
Et tout ensoleillé
C'est le tien
C'est le mien
Celui qui a été
Cette chose toujours nouvelle
Et qui n'a pas changé
Aussi vraie qu'une plante
Aussi tremblante qu'un oiseau
Aussi chaude aussi vivante que l'été
Nous pouvons tous les deux
Aller et revenir
Nous pouvons oublier
Et puis nous rendormir
Nous réveiller souffrir vieillir
Nous endormir encore
Rêver à la mort
Nous éveiller sourire et rire
Et rajeunir
Notre amour reste là
Têtu comme une bourrique
Vivant comme le désir
Cruel comme la mémoire
Bête comme les regrets
Tendre comme le souvenir
Froid comme le marbre
Beau comme le jour
Fragile comme un enfant
Il nous regarde en souriant
Et il nous parle sans rien dire
Et moi je l'écoute en tremblant
Et je crie
Je crie pour toi
Je crie pour moi
Je te supplie
Pour toi pour moi et pour tous ceux qui s'aiment
Et qui se sont aimés
Oui je lui crie
Pour toi pour moi et pour tous les autres
Que je ne connais pas
Reste là
Là où tu es
Là où tu étais autrefois
Reste là
Ne bouge pas
Ne t'en va pas
Nous qui sommes aimés
Nous t'avons oublié
Toi ne nous oublie pas
Nous n'avions que toi sur la terre
Ne nous laisse pas devenir froids
Beaucoup plus loin toujours
Et n'importe où
Donne-nous signe de vie
Beaucoup plus tard au coin d'un bois
Dans la forêt de la mémoire
Surgis soudain
Tends-nous la main
Et sauve-nous.

____

____

____

____

3 Jacques Prévert, « Cet amour », *Paroles*, Gallimard, 1949.

7 **Relevez les moyens linguistiques par lesquels l'auteur de l'extrait suivant[4] exprime ses sentiments à l'égard de la folie de la guerre.**

Ce colonel, c'était donc un monstre ! À présent, j'en étais assuré, pire qu'un chien, il n'imaginait pas son trépas ! Je conçus en même temps qu'il devait y en avoir beaucoup des comme lui dans notre armée, des braves, et puis tout autant sans doute dans l'armée d'en face. Qui savait combien ? Un, deux, plusieurs millions peut-être en tout ? Dès lors ma frousse devint panique. Avec des êtres semblables, cette imbécillité infernale pouvait continuer indéfiniment... Pourquoi s'arrêteraient-ils ? Jamais je n'avais senti plus implacable la sentence des hommes et des choses.

Serais-je donc le seul lâche sur la terre ? pensais-je. Et avec quel effroi !... Perdu parmi deux millions de fous héroïques et déchaînés et armés jusqu'aux cheveux ? Avec casques, sans casques, sans chevaux, sur motos, hurlants, en autos, sifflants, tirailleurs, comploteurs, volants, à genoux, creusant, se défilant, caracolant dans les sentiers, pétaradant, enfermés sur la terre, comme dans un cabanon, pour y tout détruire, Allemagne, France et Continents, tout ce qui respire, détruire, plus enragés que les chiens, adorant leur rage (ce que les chiens ne font pas), cent, mille fois plus enragés que mille chiens et tellement plus vicieux ! Nous étions jolis ! Décidément, je le concevais, je m'étais embarqué dans une croisade apocalyptique.

____

____

____

____

____

____

____

____

____

____

8 **Réécrivez le paragraphe suivant[5] à la troisième personne du singulier. Comparez ensuite les deux textes et relevez les indices linguistiques qui rendent expressif le premier texte.**

Je n'ai pas fermé l'œil cette nuit-là parce que, au plafond, le film des minutes en présence de Luc passait et repassait en boucle, séquence par séquence, chacun des plans figés en photos. J'avais besoin de savoir exactement ce qui m'avait aspirée et projetée dans cet espace d'apesanteur. J'ai réexaminé chacune des tesselles des émaux de Briare qui recouvraient le bar d'un paysage luxuriant, où les gloires du matin s'entremêlaient aux rosiers grimpants. Était-ce le plumage rose naïf des cacatoès au milieu des feuilles de cette mosaïque qui m'avait enivrée ? Était-ce plutôt la brillance du poêlon en laiton que le serveur manipulait pour préparer la crêpe Suzette qui m'avait éblouie ? Ou était-ce le vert jade des yeux de Luc ?

---

4 Louis-Ferdinand Céline, *Voyage au bout de la nuit*, Paris, Gallimard, 1952.

5 Kim Thúy, *Man*, Montréal, Libre Expression, 2013, p. 89.

Indices qui rendent le premier texte expressif :

9. **Vous avez récemment vécu une situation délicate. Parlez de vos réactions dans un texte contenant chacune des expressions suivantes.**

a) avoir les nerfs à fleur de peau :

b) se mordre les lèvres :

c) se ronger les ongles :

d) hausser les épaules :

e) froncer les sourcils :

f) plisser le front :

g) serrer les dents :

10. **Lisez le texte suivant[6], publié dans un forum de discussion, et réagissez-y dans un commentaire d'environ 150 mots dans lequel vous donnez votre avis sur l'art d'être heureux.**

> Dans cet art d'être heureux, auquel je pense, je mettrais aussi d'utiles conseils sur le bon usage du mauvais temps. Au moment où j'écris, la pluie tombe ; les tuiles sonnent ; mille petites rigoles bavardent ; l'air est lavé et comme filtré ; les nuées ressemblent à des haillons magnifiques. Il faut apprendre à saisir ces beautés-là. « Mais, dit l'un, la pluie gâte les moissons. » Et l'autre : « La boue salit tout. » Et un troisième : « Il est si bon de s'asseoir dans l'herbe. » C'est entendu ; on le sait ; vos plaintes n'y retranchent rien, et je reçois une pluie de plaintes qui me poursuit dans la maison. Eh bien, c'est surtout en temps de pluie que l'on veut des visages gais. Donc, bonne figure à mauvais temps.

6 Alain, *Propos sur le bonheur*, Gallimard, 1926.

⑪ Lisez le développement du texte d'opinion suivant[7], puis suivez les consignes.

L'effort de la recherche scientifique se développe, on le sait, sur deux plans parallèles, mais bien distincts. D'une part, il tend à augmenter notre connaissance des phénomènes naturels sans se préoccuper d'en tirer quelque profit : il cherche à préciser les lois de ces phénomènes et à dégager leurs relations profondes en les réunissant dans de vastes synthèses théoriques ; il cherche aussi à en prévoir de nouveaux et à vérifier l'exactitude de ces prévisions. Tel est le but que se propose la science pure et désintéressée et nul ne peut nier sa grandeur et sa noblesse. C'est l'honneur de l'esprit humain d'avoir inlassablement poursuivi, à travers les vicissitudes de l'histoire des peuples et des existences individuelles, cette recherche passionnée des divers aspects de la vérité. Mais, d'autre part, la recherche scientifique se développe aussi sur un autre plan : celui des applications pratiques. Devenu de plus en plus conscient des lois qui régissent les phénomènes, ayant appris à en découvrir chaque jour de nouveaux grâce aux perfectionnements de la technique expérimentale [...], l'homme s'est trouvé de plus en plus maître d'agir sur la nature [...].

Mais cette puissance sans cesse accrue de l'homme sur la nature ne comporte-t-elle pas des dangers ? Ayant ouvert la boîte de Pandore, saurons-nous n'en laisser sortir que les inventions bienfaisantes et les applications louables ? Comment ne pas se poser ces questions dans les temps que nous vivons ? Toute augmentation de notre pouvoir d'action augmente nécessairement notre pouvoir de nuire. Plus nous avons de moyens d'aider et de soulager, plus nous avons aussi de moyens de répandre la souffrance et la destruction. La chimie nous a permis de développer d'utiles industries et fournit à la pharmacie des remèdes bienfaisants ; mais elle permet aussi de fabriquer les poisons qui tuent et les explosifs qui pulvérisent. Demain, en disposant à notre gré des énergies intra-atomiques, nous pourrons sans doute accroître dans des proportions inouïes le bien-être des hommes, mais nous pourrons aussi détruire d'un seul coup des portions entières de notre planète. [...]

Mais qu'importent ces vaines craintes ! Nous sommes lancés dans la grande aventure et, comme la boule de neige qui roule sur la pente déclive, il ne nous est plus possible de nous arrêter. Il faut courir le risque puisque le risque est la condition de tout succès. Il faut nous faire confiance à nous-mêmes et espérer que, maîtres des secrets qui permettent le déchaînement des forces naturelles, nous serons assez raisonnables pour employer l'accroissement de notre puissance à des fins bienfaisantes. Dans l'œuvre de la Science, l'homme a su montrer la force de son intelligence : s'il veut survivre à ses propres succès, il lui faut maintenant montrer la sagesse de sa volonté.

7 Louis de Broglie, *Physique et Microphysique*, Paris, Albin Michel, 1947.

a) Dites quels sont les thèmes du texte.

____

b) Dites quelle est l'intention du texte.

____

c) Relevez les marques linguistiques de l'implication de l'auteur dans son message.

____

____

____

d) Encerclez les marqueurs de relation dans le texte.

e) Soulignez l'idée principale de chaque paragraphe.

f) Reformulez dans la marge du texte les aspects principaux et les aspects secondaires abordés dans chaque paragraphe.

g) Expliquez la démarche adoptée par l'auteur pour donner son opinion sur le sujet.

____

____

____

____

____

____

h) Donnez un titre au texte.

____

12 Écrivez un courriel à votre meilleur ami pour lui exprimer vos sentiments (joie, surprise, plaisir, regret, déception, peur, envie, dégout, etc.) ou vos opinions au sujet d'une personne, d'un lieu ou d'une situation que vous avez vécue.

13 Après avoir lu le texte du scientifique Louis de Broglie, vous décidez de rédiger vous-même dans votre blogue un article d'environ 500 mots où vous donnez votre opinion sur le rôle de la science dans la société d'aujourd'hui. Faites d'abord un plan (voir le modèle de plan fourni à la page 104), puis écrivez votre texte.

14 Pour encourager la jeune génération à participer de manière active et responsable à la vie politique et sociale, l'Organisation des Nations Unies invite les étudiants à s'exprimer sur divers sujets d'intérêt général dans son bulletin mensuel. Écrivez un texte d'environ 500 mots dans lequel vous donnez votre opinion sur les différentes formes de démocratie dans le monde contemporain.

15 Pendant votre enfance, il vous est arrivé un évènement heureux ou malheureux particulièrement marquant. Racontez cet évènement en insistant sur les sentiments et les sensations que vous avez éprouvés.

Plan du texte expressif

STRUCTURE **Titre du texte :** ______________________

Introduction

Sujet amené ______________________

Sujet posé ______________________

Sujet divisé ______________________

____

____

Développement

Aspect 1 ______________________

Sous-aspects ______________________

____

Aspect 2 ______________________

Sous-aspects ______________________

____

Aspect 3 ______________________

Sous-aspects ______________________

____

Conclusion

Rappel du sujet ______________________

Synthèse des aspects ______________________

Ouverture ______________________

Révision d'un texte expressif

Liste de vérification

Préparation de la rédaction

- J'ai dressé une liste d'aspects principaux et secondaires à aborder. ☐
- J'ai organisé mes idées dans un plan en utilisant des phrases sans verbes conjugués. ☐

Rédaction

- J'ai structuré mon texte en trois parties : introduction, développement, conclusion. ☐
- J'ai construit une introduction en trois parties (sujet amené, sujet posé, sujet divisé). ☐
- J'ai développé chaque aspect dans un paragraphe structuré (idée énoncée, idée expliquée, idée illustrée, idée résumée). ☐
- J'ai construit une conclusion en trois parties (rappel du sujet, synthèse des aspects, ouverture). ☐
- J'ai utilisé des marqueurs de relation pour assurer la continuité et la progression. ☐
- J'ai utilisé des indices linguistiques propres au texte expressif. ☐
- J'ai respecté les règles d'orthographe d'usage, de grammaire et de ponctuation. ☐
- J'ai donné un titre accrocheur à mon texte. ☐
- J'ai compté et indiqué à la fin de mon texte le nombre de mots. ☐

CHAPITRE 7

Le texte **narratif**

Le but du texte narratif

Le texte narratif sert à raconter des faits réels ou imaginaires. Ce type de texte peut prendre la forme d'un conte, d'une nouvelle ou d'un roman, ou d'un texte journalistique ou d'une biographie où l'on fait appel à la narration d'évènements.

Par ailleurs, le texte narratif peut être intégré à d'autres types de texte : dans un texte informatif, pour illustrer un ou des aspects énoncés, ou encore dans un texte argumentatif, pour illustrer une affirmation, un raisonnement.

Inversement, d'autres types de texte peuvent être intégrés au texte narratif : celui-ci peut comprendre des séquences informatives, pour décrire un lieu, une époque, un phénomène, un personnage, un objet, etc., ou encore des séquences expressives, pour exprimer les sentiments et les émotions des personnages.

Les caractéristiques du texte narratif

La présence d'un narrateur

Le narrateur raconte l'histoire. Il peut la raconter à la première personne (point de vue subjectif) ou à la troisième personne (point de vue objectif).

Exemples :

J'ai tout juste eu le temps de m'engouffrer dans ma voiture, tandis qu'une dizaine de personnes s'élançaient vers moi.

Patrick Senécal, *L'Étranger*.

M. Walter Baxter était depuis de longues années grand lecteur de romans policiers ; quand il décida d'assassiner son oncle, il savait donc qu'il ne devrait pas commettre le moindre impair.

Fredric Brown, *Fantômes et farfouilles*, 1963.

La structure du texte narratif

Le texte narratif est généralement construit selon cinq étapes. Ces étapes constituent le schéma narratif du récit.

Le schéma narratif

SITUATION INITIALE → ÉLÉMENT DÉCLENCHEUR → PÉRIPÉTIES → DÉNOUEMENT → SITUATION FINALE

1 La situation initiale

La situation initiale est la mise en scène qui sert à renseigner le lecteur sur les éléments nécessaires à la compréhension de l'histoire : description du lieu et du temps, présentation des personnages et présentation de la première action, celle qui décrit ce que font les personnages au début de l'histoire.

Dans le récit au passé, les verbes sont souvent conjugués à l'imparfait.

Exemple :

Il y avait huit jours que Lucien Bérard et Hortense Larivière étaient mariés. Mme veuve Larivière, la mère, tenait, depuis trente ans, un commerce de bibelots rue de la Chaussée-d'Antin. C'était une femme sèche et pointue, de caractère despotique, qui n'avait pas pu refuser sa fille à Lucien, le fils unique d'un quincaillier du quartier, mais qui entendait surveiller de près le jeune ménage.

On était au mois d'aout, la chaleur était intense, les affaires allaient fort mal. Aussi Mme Larivière était-elle plus aigre que jamais, mais les jeunes se montraient soumis.

Adapté de Émile Zola, *Voyage circulaire*, 1884.

2 L'élément déclencheur

L'élément déclencheur est l'évènement qui vient bouleverser la situation initiale.

Dans un récit au passé, cet évènement est souvent raconté au passé composé ou au passé simple, et il est introduit par un marqueur de relation.

Exemple :

Pourtant, un jour, Lucien se permit (s'est permis) de rappeler à sa belle-mère que les familles, avant le mariage, avaient promis de leur payer un voyage, pour leur lune de miel. Mme Larivière pinça (a pincé) ses lèvres minces.

Adapté de Émile Zola, *Voyage circulaire*, 1884.

3 Les péripéties

Les péripéties sont les évènements (les actions) provoqués par l'élément déclencheur.

Dans un récit au passé, ces actions sont souvent racontées au passé composé ou au passé simple.

Exemple :

Florent Boissonneault, un jeune homme de vingt-cinq ans au regard frondeur, se trouvait près de lui quand survint l'accident. Sans perdre une seconde, il desserra la ceinture du malheureux, défit sont col et se précipita dans une boutique pour alerter la police [...] Florent revint près de lui et s'efforça de disperser les curieux.

Yves Beauchemin, *Le Matou*, Éditions Québec Amérique, 2002, p. 11.

4 Le dénouement

Le dénouement est le dernier évènement du récit, celui qui vient améliorer ou empirer la situation dans laquelle se trouvait le héros.

Dans un récit au passé, cet évènement est souvent raconté au passé composé ou au passé simple.

Exemple :

Florent ne l'entendit pas, occupé qu'il était à répondre aux questions des policiers. Au bout de quelques minutes, il put s'en aller.

Yves Beauchemin, *Le Matou*, Éditions Québec Amérique, 2002, p. 12.

5 La situation finale (facultative)

La situation finale ramène à la stabilité initiale. La situation finale décrit l'état de la situation après les évènements racontés.

Exemple :

Il arriva bientôt chez Musipop, la compagnie de distribution de disques qui l'employait comme représentant depuis trois ans.

Yves Beauchemin, *Le Matou*, Éditions Québec Amérique, 2002, p. 12.

L'harmonisation des temps des verbes

Pour assurer la cohérence des évènements racontés dans un texte narratif, il faut utiliser un temps principal pour faire avancer le récit (présent, passé composé ou passé simple) et des temps secondaires pour signifier qu'une action est antérieure, simultanée ou postérieure à l'action exprimée par le verbe conjugué au temps principal ou encore pour décrire ou commenter.

Concordance des temps p. 56

Pour situer les actions dans le temps et pour assurer la progression des évènements racontés, on se sert de marqueurs de relation chronologiques.

Marqueurs de relation p. 35

LES MARQUEURS DE RELATION CHRONOLOGIQUES

Rôle des marqueurs	Exemples	
Faire progresser les actions du récit	d'abord, tout d'abord, en premier lieu	avant (+nom), avant de (+infinitif), avant que (+subjonctif)
	un jour	pendant (+nom), pendant que (+verbe conjugué)
	au début (au cours) de la soirée	en même temps (que)
	ensuite, puis	après (+nom, infinitif passé) après que (+verbe conjugué à l'indicatif)
	au moment où	chaque fois que
	lorsque, quand	en attendant que
	alors, c'est alors que	un peu plus tard
	soudain, tout à coup, brusquement	enfin, finalement
Situer les actions quand le point de référence est…	**le présent**	**le passé**
	aujourd'hui	ce jour-là
	hier	la veille
	avant-hier	l'avant-veille
	demain	le lendemain
	après-demain	le surlendemain
	ce soir	ce soir-là
	en ce moment	à ce moment-là
	maintenant	alors
	cette semaine	cette semaine-là
	ce mois-ci	ce mois-là
	cette année	cette année-là
	la semaine prochaine	la semaine suivante
	la semaine dernière	la semaine précédente

La présence de personnages

Il y a souvent plusieurs personnages dans une histoire. Le personnage principal s'appelle le héros. Chaque personnage peut être désigné de différentes manières : un nom (Karl), un pronom (il), un groupe de mots (l'allumeur de réverbères).

Les personnages ont généralement des traits physiques et des traits de personnalité qui leur sont propres. Voici du vocabulaire pour en faire le portrait.

Le vocabulaire descriptif

DESCRIPTION DES TRAITS PHYSIQUES					
Le corps en général					
beau/belle	gros/grosse	maigre	robuste		
élancé/e	jeune	mince	svelte		
grand/e	joli/e	petit/e	vieux/vieille		
gras/grasse	laid/e	potelé/e	vigoureux/euse		
Le visage					
allongé	carré	expressif	long	proéminent	rude
anguleux	crispé	fané	maussade	radieux	serein
basané	défait	fin	mobile	raffiné	songeur
blafard	détendu	immobile	ovale	ravagé	souriant
blême	digne	impassible	pâle	ridé	sournois
bronzé	émacié	impénétrable	plissé	rond	terne
Les cheveux					
auburn	cendrés	en bataille	lisses	raides	souples
blonds	châtains	fins	longs	rares	soyeux
bouclés	courts	frisés	nattés	rebelles	ternes
brillants	drus	gras	ondulés	roux	touffus
bruns	ébouriffés	hirsutes	plats	secs	tressés
Les yeux					
bleus	cernés	froids	marron	pers	ternes
bridés	en amande	globuleux	noirs	pétillants	verts
brillants	enfoncés	gris	noisette	rieurs	vifs
Le regard					
affectueux	courroucé	foudroyant	indiscret	languissant	narquois
affolé	désespéré	franc	inquiet	lascif	profond
agressif	déterminé	furibond	insistant	lucide	scrutateur
angoissé	en colère	furtif	intelligent	malicieux	sombre
anxieux	éteint	haineux	interrogateur	méchant	timide
arrogant	farouche	hostile	joyeux	menaçant	vide
candide	féroce	hypocrite	langoureux	moqueur	vif
Le nez					
aquilin	écrasé	gros	proéminent		
busqué	effilé	large	retroussé		
crochu	en trompette	petit	rouge		
droit	épaté	pointu	saillant		
Les oreilles					
décollées	en chou-fleur	grandes	petites		
délicates	fines	molles	pointues		
La bouche					
contractée	entrouverte	immobile	sèche		
édentée	fine	large	sensuelle		
en cœur	fraiche	mince	vermeille		
Les lèvres					
charnues	épaisses	gercées	pendantes		
bien dessinées	fendues	minces	sensuelles		

DESCRIPTION DES TRAITS PHYSIQUES

La voix

aigüe	criarde	ferme	morne	pure	sourde
ample	cristalline	feutrée	musicale	railleuse	stridente
autoritaire	douce	forte	nasillarde	rauque	suppliante
cassée	émue	grave	perçante	résonnante	timbrée
caverneuse	enrouée	gutturale	persuasive	retentissante	tremblante
chaude	éraillée	lugubre	plaintive	sarcastique	vibrante
chevrotante	éteinte	mielleuse	profonde	sèche	voilée
claire	étouffée	monotone	puissante	sonore	voluptueuse

La démarche

assurée	hésitante	nonchalante
chaloupée	majestueuse	titubante

Expressions

Avoir...

un air de chien battu (triste)	une peau de pêche (douce)
un cou de girafe (très long)	une taille de guêpe (fine)
une démarche d'éléphant (lourde)	une tignasse de lion (abondante)
une démarche de canard (maladroite)	une voix de canard (enrhumée)
des dents de cheval (proéminentes)	une voix de sirène (charmeuse)
des dents de castor (avancées)	des yeux d'aigle (perçants)
des doigts de fée (agiles)	des yeux de biche (doux)
des jambes de gazelle (longues et fines)	des yeux de lynx (vifs)

DESCRIPTION DES TRAITS DE PERSONNALITÉ

Traits positifs

affable	clairvoyant/e	dynamique	loyal/e	réfléchi/e
affectueux/euse	compréhensif/ive	équitable	lucide	sage
altruiste	conciliant/e	fiable	méticuleux/euse	serein/e
amical/e	cordial/e	fidèle	minutieux/euse	simple
assidu/e	courageux/euse	fin/e	modeste	sincère
attentif/ve	courtois/e	franc/franche	moral/e	sobre
attentionné/e	cultivé/e	gai/e	naturel/elle	spirituel/elle
authentique	débrouillard/e	généreux/euse	noble	spontané/e
autonome	dégourdi/e	gentil/ille	optimiste	sympathique
bienveillant/e	déterminé/e	honnête	pacifique	tenace
brave	dévoué/e	humble	patient/e	tendre
brillant/e	digne	intègre	perfectionniste	tolérant/e
calme	discipliné/e	intelligent/e	persévérant/e	travailleur/euse
chaleureux/euse	discret/ète	jovial/e	poli/e	vertueux/euse
charmant/e	doux/douce	juste	prudent/e	volontaire

Expressions

• courageux comme un lion	• fidèle comme un chien	• joli comme un cœur	• sage comme une image	• travailleur comme une abeille
• doux comme un agneau	• fort comme un bœuf	• rapide comme l'éclair	• tendre comme la rosée	• vif comme un écureuil

DESCRIPTION DES TRAITS DE PERSONNALITÉ				
Traits négatifs				
agressif/ive	fanatique	impoli/e	irascible	perfide
arrogant/e	frivole	imprudent/e	irritable	pessimiste
artificiel/elle	froid/e	impulsif/ive	jaloux/ouse	prétentieux/euse
avare	fruste	inconstant/e	lâche	rancunier/ière
boudeur/euse	grognon/onne	indifférent/e	malhonnête	sadique
coléreux/euse	grossier/ière	indigne	manipulateur/trice	sournois/e
cruel/cruelle	hargneux/euse	indiscipliné/e	méchant/e	stupide
dédaigneux/euse	hautain/e	infidèle	méfiant/e	superficiel/elle
déloyal/e	hypocrite	ingrat/e	menteur/euse	tricheur/euse
dur/e	ignoble	insensé/e	méprisant/e	tyrannique
égoïste	ignorant/e	insensible	mesquin/e	vaniteux/euse
envieux/euse	immoral/e	insolent/e	négligent/e	vantard/e
étourdi/e	impatient/e	insouciant/e	orgueilleux/euse	violent/e
excentrique	impitoyable	instable	paresseux/euse	
Expressions				
• bavard comme une pie	• entêté comme un mulet	• jaloux comme un tigre	• orgueilleux comme un paon	• rapace comme un vautour
• bête comme une oie	• fier comme un coq	• lent comme un escargot	• paresseux comme une limace	• rusé comme un renard
• ennuyeux comme la pluie	• gourmand comme une chatte	• menteur comme une épitaphe	• perfide comme un serpent	• têtu comme un âne/une mule

Les particularités physiques d'une personne sont souvent introduites par la préposition *à*, qui a alors le sens de *avec*.

Exemple : Une fille **à la** voix rauque, **au** regard vif et **aux** yeux clairs.

Exemples de portraits de personnage

Jacques observait la jeune fille qui essayait d'ouvrir la grille à quelques mètres de lui. De taille moyenne, mince et blonde, elle n'aurait pas été sans grâce si son visage, qui ne portait aucun maquillage, n'avait été aussi fermé. Les lèvres, qu'elle gardait étroitement serrées, dessinaient un pli amer. Une ride verticale entre ses sourcils dont le dessin était parfait s'était creusée. C'était aussi ce visage trop sérieux qui ne permettait pas de lui donner un âge précis. Il lui manquait ce fluide rayonnant que la jeunesse épanouie dégage toujours.

Louis C. Thomas, *Sans espoir de retour*, Éd. du Masque, 1995.

Il s'appelait Scalzo. C'était un Italien, musicien et jardinier comme il devait l'être dans son pays. Il jouait l'accordéon et gardait des fleurs sur son toit. Petit, figure rouge, cheveux gris très épais, une voix chaude, des « r » sonores, beaucoup de gestes, un grand sourire : c'était lui.

Félix Leclerc, *Adagio*, Fides, 1976.

Exemple de texte narratif

Erreur fatale

Situation initiale

Qui ?
Quand ?
Quoi ?

M. Walter Baxter était depuis de longues années grand lecteur de romans policiers ; quand il décida d'assassiner son oncle, il savait donc qu'il ne devrait pas commettre le moindre impair.

Il savait aussi que pour éviter toute possibilité d'erreur ou d'impair, le mot d'ordre devait être « simplicité ». Une rigoureuse simplicité. Pas d'alibi préparé à l'avance et qui risque toujours de ne pas tenir. Pas de *modus operandi* compliqué. Pas de fausses pistes manigancées.

Élément déclencheur

Si, quand même, une fausse piste, mais petite. Toute simple. Il faudrait qu'il cambriole la maison de son oncle, et qu'il emporte tout l'argent liquide qu'il trouverait, de façon que le meurtre apparaisse comme une conséquence du cambriolage. Sans cela, unique héritier de son oncle, il se désignerait trop comme suspect numéro un.

Péripéties

[1] Il prit tout son temps pour faire l'emplette d'une pince-monseigneur dans des conditions rendant impossible l'identification de l'acquéreur. La pince-monseigneur lui servirait à la fois d'outil et d'arme.

Il mit soigneusement au point les moindres détails, car il savait que la moindre erreur lui serait funeste et il était certain de n'en commettre aucune. Avec grand soin il fixa la nuit et l'heure de l'opération.

[2] La pince-monseigneur ouvrit une fenêtre sans difficultés et sans bruit. Il entra dans le salon. La porte donnant sur la chambre à coucher était grande ouverte, mais comme aucun bruit n'en venait, il décida d'en finir d'abord avec la partie cambriolage de l'opération.

Il savait où son oncle gardait son argent liquide, mais il tenait à donner l'impression que le cambrioleur l'avait longuement cherché. Le beau clair de lune lui permettait de bien voir à l'intérieur de la maison ; il travailla sans bruit.

[3] Deux heures plus tard, rentré chez lui il se déshabilla vite et se mit au lit. La police n'avait aucune possibilité d'être alertée avant le lendemain, mais il était prêt à recevoir les policiers si par hasard ils se présentaient avant. L'argent et la pince-monseigneur, il s'en était débarrassé. Certes, cela lui avait fait mal au cœur de détruire quelques centaines de dollars en billets de banque, mais c'était une mesure de sécurité indispensable – et quelques centaines de dollars étaient peu de chose à côté des cinquante mille dollars au moins qu'allait représenter l'héritage.

Dénouement

On frappa à la porte. Déjà ? Il se força au calme, alla ouvrir. Le sheriff et son adjoint entrèrent en le bousculant :
— Walter Baxter ? Voici le mandat d'amener. Habillez-vous et suivez-nous.
— Vous m'arrêtez ? Mais pourquoi ?
— Vol avec effraction. Votre oncle vous a vu et reconnu ; il est resté sans faire de bruit à la porte de sa chambre à coucher ; dès que vous êtes parti il est venu au poste et a fait sa déposition sous serment.

La mâchoire de Walter Baxter s'affaissa. Il avait, malgré tout, commis une erreur.

Situation finale

Il avait, certes, conçu le crime parfait ; mais le cambriolage l'avait tellement obnubilé, qu'il en avait oublié de tuer.

Fredric Brown, *Fantômes et farfouilles*, 1963.

Les étapes de rédaction du texte narratif

1 Planifier l'écriture du texte narratif

- Choisir le sujet.
- Déterminer le type de narrateur.
- Élaborer le plan (le schéma narratif de l'histoire).

MODÈLE DE PLAN (POUR UN TEXTE D'ENVIRON 500 MOTS)	
STRUCTURE	**Titre du texte :** Erreur fatale
Situation initiale (environ 75 mots)	
Qui ?	M. Walter Baxter
Quand ?	Après de longues années de lecture de romans policiers
Quoi ?	Décision d'assassiner son oncle
Élément déclencheur (environ 25 mots)	Décision de fausser les pistes : cambrioler la maison avant le meurtre
Péripéties (environ 300 mots)	
1.	Préparation minutieuse de l'opération
2.	Cambriolage de la maison
3.	Retour chez lui
Dénouement (environ 75 mots)	Arrivée de la police et son arrestation
Situation finale (environ 25 mots)	Dévoilement de son erreur : oubli de tuer son oncle

2 Écrire le texte

Utiliser le plan pour rédiger le brouillon, le relire et le modifier au cours de la rédaction.

Stratégies de révision et de correction p. 159

3 Réviser et corriger le texte

Après la rédaction du brouillon, relire le texte et le corriger.

exercices

1 Lisez le texte suivant[1], puis soulignez les mots qui évoquent des sensations olfactives, auditives, visuelles.

> C'était une petite salle très basse, rectangulaire, peinte en vert, décorée de guirlandes roses. Le plafond boisé était couvert de minuscules ampoules rouges. Dans ce petit espace s'étaient miraculeusement casés un orchestre, un bar aux bouteilles multicolores et le public, serré à mourir, épaules contre épaules [...] Pas un être ici n'était conscient. Tous hurlaient. Une sorte d'officier de marine m'éructait dans la figure des politesses chargées d'alcool. À ma table, un nain sans âge me racontait sa vie [...] L'orchestre jouait sans arrêt des mélodies dont on ne saisissait que le rythme parce que tous les pieds en donnaient la mesure.

1 Albert Camus, *L'Envers et l'Endroit*, Paris, Gallimard, 1987.

2 **Relevez la principale impression qui se dégage de la description de l'exercice précédent.**

____

____

3 **Lisez le texte ci-dessous[2] et suivez les consignes.**

Récit

Un jour vers midi du côté du parc Monceau, sur la plate-forme arrière d'un autobus à peu près complet de la ligne S (aujourd'hui 84), j'aperçus un personnage au cou fort long qui portait un feutre mou entouré d'un galon tressé au lieu de ruban. Cet individu interpella tout à coup son voisin en prétendant que celui-ci faisait exprès de lui marcher sur les pieds chaque fois qu'il montait ou descendait des voyageurs. Il abandonna d'ailleurs rapidement la discussion pour se jeter sur une place devenue libre.

Deux heures plus tard, je le revis devant la gare Saint-Lazare en grande conversation avec un ami qui lui conseillait de diminuer l'échancrure de son pardessus en en faisant remonter le bouton supérieur par quelque tailleur compétent.

a) Repérez les verbes au passé simple et à l'imparfait, et classez-les dans le tableau.

Passé simple	Imparfait

b) Faites la liste des marqueurs de relation chronologiques.

____

____

4 **Dans le texte suivant[3], mettez les verbes entre parenthèses au passé composé ou à l'imparfait.**

Passé indéfini

Je (monter) ______________ dans l'autobus de la porte Champerret. Il y (avoir) ______________ beaucoup de monde, des jeunes, des vieux, des femmes, des militaires. Je (payer) ______________ ma place et puis je (regarder) ______________ autour de moi. Ce n'(être) ______________ pas très intéressant. Je (finir) ______________ quand même ______________ par remarquer un jeune homme dont je (trouver) ______________ le cou trop long. Je (examiner) ______________ son chapeau et je (s'apercevoir) ______________ qu'au lieu d'un ruban il y (avoir) ______________ un galon tressé. Chaque fois qu'un nouveau voyageur (monter) ______________, ça (faire) ______________ de la bousculade. Je (ne rien dire) ______________, mais le jeune homme au long cou (interpeller) ______________ tout de même ______________ son voisin.

↓

2 Raymond Queneau, *Exercices de style*, Paris, Gallimard, 1947.

3 *Idem.*

Passé indéfini (suite)

Je (ne pas entendre) ______________ ce qu'il lui (dire) ______________ ,
mais ils (se regarder) ______________ d'un sale œil. Alors, le jeune homme au
long cou (aller) ______________ s'asseoir précipitamment.

En revenant de la porte Champerret, je (passer) ______________ devant la gare
Saint-Lazare. Je (voir) ______________ mon type qui (discuter)
______________ avec un copain. Celui-ci (désigner) ______________
du doigt un bouton juste au-dessus de l'échancrure du pardessus. Puis l'autobus m'(emmener)
______________ et je (ne plus les voir) ______________ . J'(être)
______________ assis et je (ne pas penser) ______________ à rien.

5 Réécrivez le texte suivant[4] au passé et à la 1re personne du singulier en apportant toutes les modifications nécessaires.

Il quitte Montréal pour la banlieue. Il constate rapidement que le *nightlife* de Mont-Saint-Hilaire n'est pas très excitant. Un mardi soir, il décide donc d'aller prendre un verre dans la grande métropole. À vingt heures, il traverse le pont Jacques-Cartier, étrangement désert, et dix minutes plus tard, il se stationne devant un bar « branché » qu'il connait, sur Mont-Royal, où il a rencontré une jolie fille il y a quelques années.

Le bar déborde de monde, de musique et de fumée. Exactement ce qu'il recherche. Il ne s'attend pas à ce qu'on le dévisage ainsi, à ce qu'on murmure sur son passage tandis qu'il traverse la foule. Un peu mal à l'aise, il trouve la table où il a pris une bière la première fois qu'il est venu ici. On continue à le reluquer à la dérobée. Gêné, il examine le décor. Il y a des masques sur les murs, très réalistes. Des faciès humains qui expriment une sorte de terreur douloureuse parfaitement réussie.

____
____
____
____
____
____
____
____
____
____
____
____
____
____

4 Adapté de Patrick Senécal, *L'Étranger*.

6 Lisez le texte ci-dessous[5], puis suivez les consignes.

Ce soir à Samarkand

La plus célèbre des histoires se rapportant à la mort est d'origine persane. Fariduddin Attar la raconte ainsi.

Un matin, le khalife d'une grande ville vit accourir son premier vizir dans un état de vive agitation.

Il demanda les raisons de cette apparente inquiétude et le vizir lui dit :

— Je t'en supplie, laisse-moi quitter la ville aujourd'hui même.

— Pourquoi ?

— Ce matin, en traversant la place pour venir au palais, je me suis senti heurté à l'épaule. Je me retournai et je vis la mort qui me regardait fixement.

— La mort ?

— Oui, la mort. Je l'ai bien reconnue, toute drapée de noir avec une écharpe rouge. Elle est ici, et elle me regardait pour me faire peur. Car elle me cherche, j'en suis sûr. Laisse-moi quitter la ville à l'instant même. Je prendrai mon meilleur cheval et je peux arriver ce soir à Samarkand.

— Était-ce vraiment la mort ? En es-tu sûr ?

— Totalement sûr. Je l'ai vue comme je te vois. Je suis sûr que tu es toi et je suis sûr que c'était elle. Laisse-moi partir, je te le demande.

Le khalife, qui avait de l'affection pour son vizir, le laissa partir. L'homme revint à sa demeure, sella le premier de ses chevaux et franchit au galop une des portes de la ville, en direction de Samarkand.

Un moment plus tard, le khalife, qu'une pensée secrète tourmentait, décida de se déguiser, comme il le faisait quelquefois, et de sortir de son palais. Tout seul, il se rendit sur la grande place au milieu des bruits du marché, il chercha la mort des yeux et il l'aperçut, il la reconnut. Le vizir ne s'était aucunement trompé. Il s'agissait bien de la mort, haute et maigre, de noir habillée, le visage à demi dissimulé sous une écharpe de coton rouge. Elle allait d'un groupe à l'autre dans le marché sans qu'on la remarquât, effleurant du doigt l'épaule d'un homme qui disposait son étalage, touchant le bras d'une femme chargée de menthe, évitant un enfant qui courait vers elle.

Le khalife se dirigea vers la mort. Celle-ci le reconnut immédiatement, malgré son déguisement, et s'inclina en signe de respect.

— J'ai une question à te poser, lui dit le khalife, à voix basse.

— Je t'écoute.

— Mon premier vizir est un homme encore jeune, en pleine santé, efficace et probablement honnête. Pourquoi ce matin, alors qu'il venait au palais, l'as-tu heurté et effrayé ? Pourquoi l'as-tu regardé d'un air menaçant ?

La mort parut légèrement surprise et répondit au khalife :

— Je ne voulais pas l'effrayer. Je ne l'ai pas regardé d'un air menaçant. Simplement, quand nous nous sommes heurtés par hasard dans la foule et que je l'ai reconnu, je n'ai pas pu cacher mon étonnement, qu'il a dû prendre pour une menace.

— Pourquoi cet étonnement ? demanda le khalife.

— Parce que, répondit la mort, je ne m'attendais pas à le voir ici. J'ai rendez-vous avec lui ce soir à Samarkand.

5 Jean-Claude Carrière, *Le cercle des menteurs. Contes philosophiques du monde entier*, Paris, 1998.

a) Repérez et classez les références de temps et de lieu que le narrateur utilise pour situer son récit.

TEMPS	LIEU

b) Indiquez dans la marge du texte les étapes du schéma narratif : situation initiale, élément déclencheur, péripéties, dénouement et situation finale (s'il y a lieu).

c) Faites le plan du texte en employant des phrases sans verbes conjugués.

PLAN	
STRUCTURE	**Titre du texte :**
Situation initiale Qui ? Quand ? Où ? Quoi ?	
Élément déclencheur	
Péripéties	
Dénouement	
Situation finale	

d) Réécrivez la situation initiale dans un texte d'environ 100 mots pour y ajouter des détails concernant le temps, le lieu et le personnage du khalife.

e) Imaginez le personnage du vizir et faites son portrait dans un texte d'environ 100 mots.

f) Écrivez la suite de cette histoire dans un texte d'environ 100 mots.

7 Relisez la nouvelle *Erreur fatale*, présentée à la page 111, et suivez les consignes.

a) Ajoutez des références de lieu à la situation initiale du récit.

____

____

____

____

____

____

b) Dans un texte d'environ 100 mots, imaginez le portrait physique de Walter Baxter.

c) Dans un texte d'environ 100 mots, imaginez le portrait physique de l'oncle.

d) Dans un texte d'environ 100 mots, décrivez la maison de l'oncle après la découverte du cambriolage par les policiers.

e) Dans un texte d'environ 500 mots, rédigez la déposition que l'oncle fait à la police après le cambriolage.

Plan du texte narratif

STRUCTURE **Titre du texte :** ______________________________

Situation initiale

Qui ? ______________________________

Quand ? ______________________________

Où ? ______________________________

Quoi ? ______________________________

Élément déclencheur

____

____

Péripéties

1. ______________________________
2. ______________________________
3. ______________________________

Dénouement

____

____

Situation finale

____

____

Révision d'un texte narratif

Liste de vérification

Préparation de la rédaction

- [ ] J'ai choisi mon sujet.
- [ ] J'ai déterminé le type de narrateur.
- [ ] J'ai organisé mes idées dans un plan en utilisant des phrases sans verbes conjugués.

Rédaction

- [ ] J'ai structuré mon texte en plusieurs parties (situation initiale, élément déclencheur, péripéties, dénouement, situation finale), selon le plan.
- [ ] J'ai précisé les personnages, le temps et les lieux dans la situation initiale.
- [ ] J'ai introduit un élément déclencheur qui bouleverse l'équilibre initial.
- [ ] J'ai construit des péripéties et un dénouement qui s'enchainent logiquement.
- [ ] J'ai utilisé des marqueurs de relation pour assurer la progression logique du récit.
- [ ] J'ai respecté les règles d'orthographe d'usage, de grammaire et de ponctuation.
- [ ] J'ai compté et indiqué à la fin de mon texte le nombre de mots.
- [ ] J'ai donné un titre accrocheur au texte.

CHAPITRE 8

RÉDIGER un **texte** argumentatif

Le but du texte argumentatif

Le texte argumentatif sert à prendre position et à défendre une opinion afin de convaincre le lecteur. Il doit contenir des arguments solides, crédibles, variés et cohérents. L'auteur de ce type de texte tente d'influencer les idées, les valeurs, les opinions et les actions du lecteur, et de le faire adhérer au point de vue qu'il expose. L'argumentation fait appel à l'intelligence du lecteur ou à son émotivité.

Le texte argumentatif se présente entre autres sous forme de lettre ouverte, d'éditorial, de manifeste, de texte publicitaire et de pamphlet. On le trouve donc dans les quotidiens, les magazines, les essais, etc.

Les caractéristiques du texte argumentatif

Les indices linguistiques

Dans un texte argumentatif, on trouve généralement :

- un vocabulaire expressif (mélioratif ou péjoratif) permettant d'insister sur les aspects positifs, négatifs ou neutres du sujet (emploi de synonymes et d'antonymes, d'adjectifs, d'adverbes, etc.) ;
- des verbes conjugués principalement au présent de l'indicatif, mais aussi au conditionnel présent ou au subjonctif présent afin de nuancer le propos ;
- des pronoms personnels à la 1re personne du singulier pour signaler la prise de position ;
- des pronoms personnels à la 3e personne du singulier pour varier les voix, évitant ainsi d'alourdir le texte par la redondance du « je » ;
- des conjonctions de coordinations (*mais*, *ou*, *et*, etc.) ;
- une ponctuation marquant l'émotion et l'engagement dans le propos (point d'interrogation, point d'exclamation, points de suspension) ;
- des marqueurs de relation pour souligner les étapes de l'argumentation (*d'abord*, *de plus*, *enfin*, etc.) ou pour introduire des arguments (*à mon avis*, *sans aucun doute*, *par conséquent*, etc.) ;
- des figures de style comme la comparaison, la gradation et l'hyperbole pour illustrer avec originalité les aspects défendus, éveiller et retenir l'attention du lecteur, et parfois pour teinter le propos d'ironie.

Le contenu

Un texte argumentatif doit :

- proposer un raisonnement ;
- faire une démonstration rigoureuse de l'argumentation ;
- développer un point de vue qui tient compte des opinions opposées.

Un texte argumentatif peut :

- inclure des citations d'autres auteurs (on doit trouver la référence exacte de la citation dans le texte, en bas de page ou dans la bibliographie) ;
- expliquer des causes ;
- discuter de conséquences ;
- présenter des solutions.

L'organisation graphique

Un texte argumentatif peut être :

- disposé en colonnes ou en page pleine ;
- accompagné d'illustrations, de photos et de schémas pour exposer le point de vue proposé avec plus de force (publicité, campagne de financement, etc.).

La structure du texte argumentatif

Comme tout autre type de texte, le texte argumentatif comporte une introduction, un développement et une conclusion.

L'introduction

L'introduction d'un texte argumentatif comprend généralement quatre parties :

1 Le sujet amené (l'introduction du sujet)

- Le sujet amené donne une vision générale de la question.
- Il peut inclure des références historiques.
- Il peut faire référence à l'actualité.
- Il peut inclure des anecdotes.
- Il peut inclure des expériences personnelles.

  Note : Il faut que le lien entre le sujet amené et le sujet posé (la partie suivante de l'introduction) soit clair. Le sujet amené ne doit pas être trop loin du sujet posé ou trop vague. Par ailleurs, dans cette partie, on doit éviter les généralités comme « Depuis toujours », « Beaucoup de gens pensent que », « Certaines personnes disent que », etc.

2 Le sujet posé (la question à débattre)

- Dans le sujet posé, on présente le sujet en posant une question directe à laquelle l'auteur devra répondre pour convaincre le lecteur.
- On peut aussi faire un constat qui propose deux perspectives ; l'auteur en priorise une pour tenter de convaincre le lecteur.

3 La thèse (l'opinion de l'auteur sur la question)

- La thèse peut être unilatérale ou nuancée.
- Elle doit être claire et constante tout au long du texte.

4 Le sujet divisé (présentation brève des aspects discutés dans le développement)

- Dans le sujet divisé, on énumère, dans l'ordre, les aspects qui seront abordés.
- On utilise des marqueurs de relation pour bien articuler les idées présentées.

Note : Cette section de l'introduction annonce au lecteur les parties du développement.

Le développement

Le développement comprend habituellement deux ou trois paragraphes ou plus, chacun permettant d'exposer un aspect de la thèse. Il est important que chaque paragraphe soit à peu près de la même longueur et, autant que possible, de la même force argumentative. Sinon, il faut choisir de présenter les arguments dans un certain ordre :

- Croissant (du plus faible au plus fort).
- Décroissant (du plus fort au plus faible).
- Alterné (plus fort – plus faible – plus fort).

La présentation de chaque aspect à développer se fait par étapes afin de faire évoluer l'argumentation. Ces étapes sont généralement les suivantes :

- L'affirmation (point de vue de départ sur l'aspect présenté).
- L'exposition des arguments (faits, exemples, propos d'experts, définitions, etc.).
- L'explication (lien entre l'affirmation et les arguments avancés pour appuyer l'opinion défendue).
- La conclusion partielle (réaffirmation de l'opinion défendue, qui peut aussi annoncer l'idée du paragraphe suivant et servir de transition).

L'ordre dans lequel ces étapes s'articulent (sauf la conclusion partielle) peut être laissé à la discrétion de l'auteur. Il n'y a pas de règle absolue ; toutefois, chaque étape est importante pour arriver à une argumentation claire et convaincante.

Dans le développement, on peut choisir de convaincre le lecteur en présentant les aspects de la problématique selon un seul point de vue. On exposera alors :

- les aspects en faveur de la thèse uniquement ;

ou

- les aspects en désaccord avec la thèse uniquement.

On peut aussi choisir de convaincre le lecteur en présentant les aspects de la problématique selon un point de vue et son revers. L'opinion que l'auteur veut privilégier sera mise de l'avant, l'autre réfutée. On exposera alors :

- un aspect en faveur de la thèse, puis la majorité des autres aspects en désaccord avec la thèse ;

ou

- un aspect en désaccord avec la thèse, puis la majorité des autres aspects en faveur de la thèse.

Si on adopte cette manière de faire, il est important de soigner l'ordre de présentation des aspects afin de s'assurer que la stratégie argumentative fonctionne.

Même si on privilégie un point de vue et qu'on s'y tient dans son texte argumentatif, il est préférable d'introduire quelques réserves et nuances dans l'explication de chaque aspect à développer. Cette pratique augmente la crédibilité de la position défendue. Les étapes de présentation de chaque aspect seront alors les suivantes :

- L'affirmation (point de vue de départ sur l'aspect présenté).
- L'exposition des arguments et l'explication.
- La réfutation (point de vue inverse sur l'aspect présenté : contre-thèse).
- L'exposition des contre-arguments et l'explication.
- La conclusion partielle.

Les arguments permettant d'étayer la thèse et la contre-thèse peuvent être de natures diverses.
En voici quelques-uns :

- Arguments rationnels :
  - Faits (statistiques, dates, évènements historiques répertoriés, etc.).
  - Exemples (jurisprudence, politiques en vigueur, lois, expériences et résultats scientifiques, etc.).
  - Définitions (explication, vulgarisation, description, etc.).
- Arguments renfermant une part de rationnel et d'émotif :
  - Propos d'experts (journalistes, juges, psychologues, criminalistes, etc.).
  - Énoncés généraux (traditions, valeurs communes, normes sociales, règles éthiques, etc.).

- Arguments émotifs :
  - Sentiments, impressions (expériences personnelles, histoires vécues, témoignages, etc.).

Les arguments appartenant au domaine rationnel sont plus difficilement contestables, car ils sont objectifs et vérifiables. Les arguments émotifs sont plus subjectifs et peuvent varier d'un individu ou d'un groupe à l'autre. Il faut en tenir compte dans ses choix d'arguments et dans l'ordre de présentation de ceux-ci.

La conclusion

La conclusion comporte généralement trois parties :

1. La synthèse des aspects présentés dans le développement.
2. La reformulation de la thèse (on réaffirme son opinion ou on la tempère à la lumière de l'argumentation).
3. L'élargissement du débat (ouverture de la discussion sur un aspect du sujet mis de côté dans la présente argumentation).

Les étapes de rédaction du texte argumentatif

1 Planifier la rédaction du texte

- Choisir le sujet (trouver une idée).
- Se documenter sur le sujet (lire des textes pour connaitre le sujet afin de pouvoir en parler).
- Sélectionner des sources d'information pertinentes et crédibles (éviter les blogues, courriers du lecteur, forums de discussion).
- Cibler les thèmes et les enjeux importants du sujet (annoter les textes).
- Se positionner par rapport au sujet (choisir l'opinion à défendre).
- Choisir les aspects à discuter (quelles facettes sont les plus importantes).
- Décider du nombre d'aspects à développer.
- Choisir les arguments à retenir (conserver des arguments forts et incontestables, rationnels et objectifs).
- Choisir la stratégie pour mener l'argumentation (affirmation, réfutation).
- Choisir l'ordre des aspects à discuter (croissant, décroissant, alterné).
- Faire un plan (ne doit pas contenir de phrases, mais des expressions simples ; peut inclure des citations qui serviront d'arguments pour chaque aspect du développement).

MODÈLE DE PLAN (POUR UN TEXTE D'ENVIRON 500 MOTS)	
STRUCTURE	**Sujet** : Et si voter était obligatoire ?
Introduction (un paragraphe d'environ 100 mots)	
1. Sujet amené (S.A.)	
On présente le sujet de façon générale (fait d'actualité, référence historique, anecdote, etc.).	Faible taux de participation aux élections municipales
2. Sujet posé (S.P.)	
On pose la question (directe ou indirecte) à débattre.	Le droit de vote ⟶ obligatoire au Canada ?
3. Thèse (T.)	
Marqueur de relation pour marquer l'opinion : *à mon avis, il me semble que, selon moi*, etc.	
On prend position sur la question.	Oui

MODÈLE DE PLAN (POUR UN TEXTE D'ENVIRON 500 MOTS)	
4. Sujet divisé (S.D.) On présente les aspects qui seront développés, dans l'ordre.	1. Liberté vs responsabilité 2. Résistance à l'obligation vs discernement 3. Désengagement vs influence sur les gouvernements
DÉVELOPPEMENT (trois paragraphes d'environ 100 mots chacun) • Chacun des aspects du sujet présentés dans l'introduction est développé dans un paragraphe. • Pour lier les idées entre elles, on se sert de marqueurs de relation (*d'abord, ensuite, par ailleurs, par conséquent*, etc.).	
Aspect 1	1. Liberté vs responsabilité
Affirmation	Liberté du citoyen de ne pas voter doit être respectée
Réfutation	Soins de santé gratuits impliquent des devoirs pour la population (impôts/saines habitudes de vie)
Conclusion partielle	Démocratie implique le devoir de voter
Aspect 2	2. Résistance à l'obligation vs discernement
Affirmation	Conducteurs réfractaires à la ceinture de sécurité au début de l'implantation de la loi
Réfutation	Maintenant ⟶ respect de la loi pour le bien commun/Discernement
Conclusion partielle	Capacité d'acceptation des contraintes pour une cause valable (Belgique, Australie, Brésil, Luxembourg le font pour le vote.)
Aspect 3	3. Désengagement vs influence sur les gouvernements
Affirmation	Jeunes désintéressés de la politique
Réfutation	↑ taux de participation = ↑ pression sur le gouvernement
Conclusion partielle	Gouvernement aurait l'obligation d'écouter la population = moins de conflits ?
CONCLUSION (un paragraphe d'environ 100 mots) Marqueur de relation de conclusion : *pour terminer, en conclusion, pour conclure, en fin de compte*, etc.	
1. Synthèse des aspects abordés La synthèse des aspects développés dans chaque paragraphe. Cette synthèse doit se faire dans des mots différents de ceux employés dans les paragraphes.	1. Outil démocratique fondamental 2. Petite restriction de liberté individuelle = gain citoyen significatif 3. Gouvernement obligé de tenir compte du poids du vote
2. Rappel de la thèse	Oui au vote obligatoire au Canada
3. Ouverture C'est une phrase qui provoque la réflexion, qui laisse entrevoir une autre perspective ou qui présente un autre point de vue sur le sujet.	Améliorer l'information (école/communauté) pour y arriver

2 Écrire le texte

Marqueurs de relation p. 35

- Choisir le vocabulaire (synonyme, antonyme, mélioratif, péjoratif, etc.).
- Choisir les marqueurs de relation.
- Rédiger l'introduction.
- Rédiger les paragraphes du développement.
- Rédiger la conclusion.

QUELQUES MOTS ET EXPRESSIONS UTILES À L'ARGUMENTATION

Expressions	Adjectifs	Noms
Certains experts affirment/contredisent	Acceptable/Inacceptable	Aberration
Les chercheurs ont prouvé/ont démenti	Catégorique	Analyse
La communauté scientifique confirme/réfute	Cohérent/Incohérent	Bienfondé
Les autorités approuvent/désapprouvent	Contestable/Incontestable	Controverse
La plupart des analystes certifient/nient	Crédible	Croyance
La psychologue accepte/rejette	Exact/Inexact	Évidence
Ces statistiques valident/invalident	Favorable/Défavorable	Fondement
Les chiffres démontrent/mentent	Logique/Illogique	Interprétation
Les spécialistes soutiennent/dénoncent	Paradoxal	Prise de position
Le sociologue spécifie	Réfutable/Irréfutable	Questionnement

3 Réviser et corriger le texte

Stratégies de révision et de correction p. 159

- Relire le texte (utiliser la liste de vérification fournie à la page 131).
- Corriger le texte (orthographe d'usage, orthographe grammaticale, syntaxe, ponctuation).
- Choisir un titre accrocheur.

Exemple de texte argumentatif

La démocratie s'impose!

[Introduction]

// **[S.A.]** Récemment, Radio-Canada écrivait sur son site Web: «Aux dernières élections municipales, seulement 30% des 18 à 35 ans ont voté [...][1].» // **[S.P.]** Le droit de vote est un outil fondamental en démocratie, tous le reconnaissent. Pourtant, au Canada, peu de gens votent, et les jeunes le font de moins en moins. Voilà pourquoi on doit rendre le vote obligatoire au Canada. // **[S.D.] [1er aspect]** Plus qu'un droit, le vote est une responsabilité civique, // **[S.D.] [2e aspect]** bien peu contraignante, // **[S.D.] [3e aspect]** qui oblige les dirigeants à tenir compte des besoins de la population.

[Développement]

[1er aspect]

// **[Affirmation]** Tout d'abord, certains diront que la notion de droit de vote ne s'accorde pas bien avec celle d'obligation. Nous sommes libres de voter... ou non. // **[Réfutation]** Je ne suis pas du tout de cet avis, car la liberté implique des droits, mais aussi des obligations. Prenons, par exemple, les soins de santé: au Canada, la population y a droit, c'est un fait. Mais elle a également le devoir de payer des impôts pour financer ces services, et d'adopter de saines habitudes de vie pour ne pas les surcharger. D'ailleurs, Albert Jacquard définissait la liberté

1 http://ici.radio-canada.ca/nouvelles/Politique/2013/10/002-vote-camps-elections-municipales.shtml

comme « la possibilité de participer à la définition des contraintes qui s'imposeront à nous[2] ». // **[Conclusion partielle]** Le droit de vote doit donc être reconnu comme une de ces « contraintes ». C'est donc une responsabilité civique. //

[2e aspect]

// **[Affirmation]** Ensuite, rappelons-nous combien l'obligation de porter la ceinture de sécurité dans l'automobile semblait contraignante à ses débuts. // **[Réfutation]** Les conducteurs et les passagers s'y sont pourtant habitués et le taux de mortalité a baissé considérablement. Cela prouve que, quand il s'agit du bien commun, les citoyens sont capables d'agir avec intelligence et bonne volonté. // **[Conclusion partielle]** C'est peut-être d'ailleurs ce qui se produit dans les pays où le vote est obligatoire : à titre d'exemple, en Australie, en Belgique, au Brésil et au Luxembourg, le taux de participation varie de 72 à 90 % ! //

[3e aspect]

// **[Affirmation]** De plus, beaucoup de jeunes disent qu'ils manquent d'intérêt pour la politique. On entend à tort et à travers : « Est-ce que ça vaut la peine d'aller voter avec toute la corruption dont on parle dans les médias ? » // **[Réfutation]** À cela, je réponds qu'il faut peut-être se rappeler que, si on oblige les gens à voter, notamment les jeunes, on oblige du même coup les partis politiques à tenir compte de leurs préoccupations. // **[Conclusion partielle]** Qui sait ? Cela permettrait peut-être d'éviter quelques conflits… //

// **[Synthèse 1er aspect]** Pour conclure, avec le droit de vote, les hommes et les femmes ont obtenu un outil démocratique fondamental. // **[Rappel de la thèse]** Je suis convaincue qu'on doit en faire une obligation et un devoir, // **[Synthèse 2e aspect]** ce qui serait, somme toute, une bien petite restriction de la liberté individuelle pour un gain citoyen significatif. // **[Synthèse 3e aspect]** Les gouvernements dignes de ce nom ne pourraient alors en ignorer l'issue. // **[Ouverture]** Et si, pour cela, il faut renforcer l'éducation civique à l'école et améliorer l'information, tant mieux ! C'est une question de salut démocratique.

Source : Adapté de Guy Lessard et Ginette Rochon, *Mon guide de rédaction*, CEC, 2013.

exercices

1 Donnez un autre titre au texte.

____

2 Faites la liste des indices linguistiques qui s'apparentent au texte argumentatif dans ce texte.

____

____

____

____

____

____

____

____

____

2 Albert Jacquard, *Petite philosophie à l'usage des non-philosophes*, Paris, Calmann-Lévy, 1997, p. 145.

3 Soulignez les marqueurs de relation qui articulent les paragraphes entre eux et déterminez leur fonction précise dans le texte *La démocratie s'impose !*

4 En quelques phrases, rédigez un autre sujet amené pour le texte *La démocratie s'impose !*

5 En quelques phrases, rédigez une autre ouverture pour le texte.

6 Lisez la question ci-dessous et suivez les consignes.

Accorde-t-on trop d'importance à l'apparence physique dans nos rapports avec les autres ?

a) Faites le plan de l'introduction d'un texte qui répond à cette question.

PLAN	
Introduction (environ 150 mots)	
• Sujet amené	
• Sujet posé	
• Thèse	
• Sujet divisé	

b) Rédigez le paragraphe d'introduction.

❼ **Lisez le texte ci-dessous[3], qui présente une série de faits pouvant servir d'arguments. Utilisez ceux qui sont les plus pertinents, selon vous, pour rédiger un paragraphe de développement qui répond à la question suivante :**

Doit-on s'inquiéter du taux de décrochage scolaire au Québec ?

Selon l'organisme Statistique Canada, le taux de personnes sans diplôme secondaire dans la cohorte 20-24 ans a reculé de 4,6 points de pourcentage depuis 10 ans au Québec pour atteindre 10,1%. Il s'agit d'un recul plus fort qu'en Ontario (2,6 points) et que dans l'ensemble du Canada (3,0 points), même si le taux absolu de décrochage demeure plus élevé ici qu'ailleurs (7,8% au Canada et 6,4% en Ontario). En 2009, pour améliorer la persévérance scolaire, le ministère de l'Éducation a fixé des cibles de réussite. Essentiellement, il espérait augmenter de 11 points de pourcentage le taux d'obtention du diplôme secondaire avant l'âge de 20 ans entre 2006 et 2020, pour le faire passer à 80%. Dans les faits, ce taux a augmenté de 5 points entre 2006 et 2011. Autrement dit, presque la moitié du chemin est parcourue.

a) Faites le plan du paragraphe de développement.

PLAN	
Développement (environ 150 mots)	
• Affirmation	
• Argument et explication	
• Réfutation	
• Contre-argument et explication	
• Conclusion partielle	

3 Source : Francis Vailles, « De bonnes nouvelles sur le décrochage scolaire », *La Presse*, 27 mai 2013.

b) Rédigez le paragraphe de développement.

8 **Voici un choix de formules pour introduire une opinion. Lisez les questions et donnez votre opinion en utilisant l'une des formules suggérées ci-dessous. Répondez en une ou deux phrases.**

Il me semble évident que • Je pense que • Je suis tout à fait d'accord avec • J'ai plusieurs raisons de penser que • Je soupçonne que • Je crois fermement que • Je le dis en toute franchise • Je dois l'avouer • Sans contredit, je trouve que • Il faut bien le dire

a) Les graffitis, est-ce une forme d'art ou du vandalisme ?

b) Croyez-vous que le diplôme d'une fille a la même valeur que celui d'un garçon sur le marché du travail ?

c) Le système judiciaire traite-t-il équitablement les citoyens ?

d) Peut-on faire confiance à nos politiciens ?

e) Est-ce que les Canadiens sont racistes ?

f) Est-ce que les communautés autochtones ont les mêmes chances de succès dans la vie que les autres communautés au Canada ?

g) Est-ce que la réputation du Canada se dégrade sur le plan international ?

9 Choisissez une question parmi celles du numéro 8 et rédigez un texte argumentatif d'environ 500 mots. Utilisez le modèle de plan fourni à la page 130.

Plan du texte argumentatif

STRUCTURE **Titre du texte :** ____________________

Introduction

Sujet amené ____________________

Sujet posé ____________________

____

Thèse ____________________

____

Sujet divisé ____________________

____

____

Développement

Aspect 1

Affirmation ____________________

____

Argument et explication ____________________

____

____

Réfutation ____________________

____

____

Contre-argument et explication ____________________

____

____

Conclusion partielle ____________________

____

Aspect 2

Affirmation ____________________

____

Argument et explication ____________________

____

____

Réfutation ____________________

____

Plan du texte argumentatif (suite)

Contre-argument et explication

____

____

____

Conclusion partielle

____

____

Conclusion

Synthèse des aspects

____

____

Rappel de la thèse

____

____

Ouverture

____

Révision d'un texte argumentatif

Liste de vérification

Préparation de la rédaction

- J'ai bien compris le sujet. ☐
- J'ai bien cerné mon opinion. ☐
- J'ai dressé une liste des aspects essentiels à aborder. ☐
- J'ai sélectionné mes arguments les plus convaincants. ☐
- J'ai organisé mes idées dans un plan. ☐

Rédaction

- J'ai structuré mon texte en trois parties : introduction, développement, conclusion. ☐
- J'ai construit une introduction en quatre parties (sujet amené, sujet posé, thèse, sujet divisé). ☐
- J'ai développé chaque aspect dans un paragraphe structuré (affirmation, argument/explication, réfutation, contre-argument/explication, conclusion partielle). ☐
- J'ai construit une conclusion en trois parties (synthèse des aspects, rappel de la thèse, ouverture). ☐
- J'ai utilisé des marqueurs de relation pour assurer la continuité et la progression. ☐
- J'ai exprimé mon opinion avec rigueur et clarté. ☐
- J'ai rédigé le texte principalement au présent, en utilisant des effets de style avec modération. ☐
- J'ai respecté les règles d'orthographe d'usage, de grammaire et de ponctuation. ☐
- J'ai compté et indiqué à la fin de mon texte le nombre de mots. ☐
- J'ai donné un titre accrocheur au texte ☐

RÉDIGER un compte rendu critique

Le but du compte rendu critique

Le compte rendu critique sert à présenter une œuvre (pièce de théâtre, film, livre, spectacle de danse, etc.), à en souligner les aspects essentiels (résumé de l'histoire, interactions et description sommaire des personnages, contexte historique, etc.) et à en exposer l'intérêt et la qualité au lecteur. Cependant, il doit permettre à ce dernier de se faire sa propre idée sur l'œuvre critiquée. En effet, le compte rendu critique a pour but d'informer le lecteur, mais aussi de l'influencer dans sa décision de passer à l'action : lire le livre, voir le film, la pièce de théâtre ou le spectacle. Ce type de texte fait appel à l'intelligence et aux connaissances du lecteur en la matière (repères culturels et sociohistoriques, bagage littéraire, etc.), ainsi qu'à sa sensibilité (gouts, tendances, valeurs, etc.). Par ailleurs, il peut aussi servir à présenter un ouvrage théorique ou un article scientifique. L'auteur du compte rendu critique doit faire preuve de rigueur et d'objectivité dans son évaluation de l'œuvre, mais il peut aussi se permettre une certaine subjectivité.

Le compte rendu critique se présente entre autres sous forme de chronique culturelle, de chronique littéraire, de blogues discutant de la vie culturelle des villes et des régions, d'essais littéraires proposant des éclairages particuliers sur des œuvres ou encore de travaux universitaires faisant l'analyse d'un corpus d'œuvres littéraires. On le trouve par conséquent dans les quotidiens, les magazines, les essais, les revues spécialisées (ex. : art, littérature, théâtre, cinéma), etc.

Les caractéristiques du compte rendu critique

Les indices linguistiques

Dans un compte rendu critique, on trouve généralement :

- un vocabulaire expressif (mélioratif ou péjoratif) permettant d'insister sur les éléments positifs ou négatifs de l'œuvre (emploi de synonymes et d'antonymes, d'adjectifs, d'adverbes, etc.) ;
- des verbes conjugués principalement au présent de l'indicatif, mais aussi au conditionnel présent ou au subjonctif présent afin de nuancer le propos ;
- des pronoms personnels à la 1re personne du singulier pour signaler l'émotion que suscite l'œuvre ;
- des pronoms personnels à la 3e personne du singulier pour varier les voix, évitant ainsi d'alourdir le texte par la redondance du « je » ;
- une ponctuation marquant les différentes sensations et prises de conscience engendrées par le contact avec l'œuvre (point d'interrogation, point d'exclamation, points de suspension) ;
- des guillemets permettant l'introduction de citations provenant de l'œuvre commentée ;
- des marqueurs de relation pour souligner les étapes du compte rendu (*d'abord*, *de plus*, *enfin*, etc.) ou pour introduire des points de vue sur l'œuvre (*à mon avis*, *sans aucun doute*, *par conséquent*, etc.) ;

- des figures de style comme la comparaison, la gradation et l'hyperbole pour illustrer avec originalité l'appréciation de l'œuvre (ou non) et pour éveiller et retenir l'attention du lecteur.

Le contenu

Un compte rendu critique doit :

- présenter l'œuvre : quand il lit un compte rendu critique, le lecteur cherche généralement de l'information sur un film, une pièce de théâtre ou un livre qui l'intéresse. Les renseignements qu'on lui donne peuvent l'aider à faire des choix, lui permettre de faire des liens entre l'œuvre dont on lui parle et celles qu'il connait déjà, etc. ;
- proposer un résumé de l'œuvre critiquée : si le compte rendu critique est rédigé dans le cadre d'un exercice scolaire, il peut être approprié de résumer l'intrigue en révélant le dénouement. Par contre, si le compte rendu est destiné à la section culturelle d'un journal ou d'un magazine, il convient de ne pas annoncer la fin. Il sera préférable d'en dire juste assez pour que le lecteur ait envie de découvrir lui-même la totalité de l'histoire ;
- exposer l'appréciation de l'œuvre : la critique doit s'appuyer sur des éléments concrets de l'œuvre afin d'en faire un portrait fidèle, tout en gardant une certaine part de subjectivité.

Un compte rendu critique peut :

- inclure des citations tirées de l'œuvre commentée ;
- inclure des citations d'autres auteurs liés à l'œuvre discutée, que ce soit par le style, l'époque ou le propos (on doit trouver la référence exacte de la citation dans le texte, en bas de page ou dans la bibliographie).

L'organisation graphique

Un compte rendu critique peut être :

- disposé en colonnes ou en page pleine ;
- accompagné d'illustrations, de photos permettant de montrer l'aspect matériel et visuel de l'œuvre (couverture du livre, affiche de la pièce ou du film, scènes choisies, photos des artistes, etc.).

La structure du compte rendu critique

Comme tout autre type de texte, le compte rendu critique comporte généralement une introduction, un développement et une conclusion. Cette structure peut cependant varier selon les auteurs et les œuvres critiquées.

L'introduction

Elle comprend généralement deux parties :

1 Le sujet amené (l'introduction de l'œuvre)

Avant même de nommer l'œuvre dont il sera question dans le compte rendu critique, on doit introduire celle-ci avec une phrase ou deux. Voici quelques éléments d'introduction possibles :

- références historiques ;
- évènement d'actualité ;
- anecdotes ;
- autres œuvres apparentées par le genre, le thème, etc.

Note : Il faut que le lien entre le sujet amené et la présentation de l'œuvre (la partie suivante de l'introduction) soit clair. Le sujet amené ne doit pas être trop loin de l'œuvre ou trop vague.

Exemple :

À propos de la pièce de théatre *Les aiguilles et l'opium* de Robert Lepage :

Le dramaturge québécois montre à quel point il a la capacité de se réinventer. Grâce à l'interprétation acrobatique inspirée de Marc Labrèche, Robert Lepage donne une nouvelle vie à cette pièce, sans doute sa plus intime. Il fait ici la preuve de son ingéniosité en créant un dispositif scénique qui magnifie un texte déjà brillamment construit.

Source : Jean Siag, « *Les aiguilles et l'opium* : risques de dépendance », *La Presse*, 10 mai 2014.

2 La présentation de l'œuvre critiquée

Cette partie comprend :

- le titre de l'œuvre (film, livre, pièce de théâtre, etc.) ;
- le nom de l'auteur, du metteur en scène ou du réalisateur, etc. ;
- les principaux artistes (comédiens, acteurs ou danseurs, etc.), si pertinent ;
- le moment de parution, de création ou de sortie en salle.

Exemple :

À propos du film *Louis Cyr, l'homme le plus fort du monde* :

« *Louis Cyr*, dont la première avait lieu hier soir au Théâtre Maisonneuve, est le film populaire qu'attendait le cinéma québécois. [...] Inspiré entre autres par la biographie de Louis Cyr par Paul Ohl – ainsi qu'un texte publié en 1908 dans *La Presse* par le journaliste Septime Laferrière –, le film de Daniel Roby (*La peau blanche, Funkytown*), scénarisé par Sylvain Guy (*Liste noire*), raconte de manière classique le parcours hors norme d'un homme prêt à conquérir "l'univers". »

Source : Marc Cassivi, « *Louis Cyr* : Le champion tant attendu », *La Presse*, 9 juillet 2013.

Le développement

Il comprend habituellement deux parties :

1 Le résumé

Il retrace les moments marquants et le rôle des personnages phares pour permettre au lecteur d'anticiper l'œuvre.

Exemples :

À propos du film *Louis Cyr, l'homme le plus fort du monde* :

« Antoine Bertrand se surpasse dans le rôle de Louis Cyr, fils d'un cultivateur canadien-français expatrié aux États-Unis, vivant de peine et de misère avec ses neuf frères et sœurs à Lowell, au Massachusetts, et rêvant de devenir "l'homme le plus fort du monde."

« Jeune homme, Louis Cyr gagnait le salaire de deux ouvriers à l'usine de textile de Lowell, où il travaillait pour trois et "mangeait pour dix", selon sa mère. On allait bientôt lui offrir cinq fois cette somme pour faire la démonstration de sa force en public. Avec sa femme, Cyr fonda un cirque ambulant qui fit sa fortune, à la fin du XIXe siècle. Mais il aspirait à une reconnaissance internationale. »

Source : Marc Cassivi, « *Louis Cyr* : Le champion tant attendu », *La Presse*, 9 juillet 2013.

À propos de la pièce de théâtre *Les aiguilles et l'opium* :

« [...] le personnage de Robert [...] vit une peine d'amour. [...] [C'est un] comédien québécois [séjournant] à Paris pour faire la narration d'un documentaire relatant le passage du trompettiste américain Miles Davis dans la Ville lumière. »

Source : Jean Siag, « *Les aiguilles et l'opium* : risques de dépendance », *La Presse*, 10 mai 2014.

2 La critique

Elle doit proposer un point de vue sur tous les éléments dignes d'intérêt dans l'œuvre, en donnant des exemples concrets pour appuyer les commentaires positifs ou négatifs, entre autres sur :

- l'interprétation des acteurs (inégale, crédible, touchante, etc.) ;
- le ton (juste, faux, exagéré, etc.) ;
- le décor (réaliste, polyvalent, épuré, etc.) ;
- les effets spéciaux (inutiles, ingénieux, originaux, etc.) ;
- les costumes (d'époque, contemporains, excentriques, etc.) ;
- les accessoires (symboliques, thématiques, etc.) ;
- la musique (indispensable, significative, parasite, etc.) ;
- l'éclairage (sobre, inusité, dérangeant, etc.) ;

- le rythme (lent, enlevant, déstabilisant, etc.) ;
- le style (hermétique, accessible, banal, etc.) ;
- le vocabulaire et le niveau de langue (soutenu, familier, etc.) ;
- la trame narrative (pleine de rebondissements, inattendue, etc.) ;
- les dialogues (percutants, intrigants, trainants, etc.) ;
- les thèmes (banals, intemporels, incontournables, etc.) ;
- les symboles (redondants, obscurs, centraux, etc.) ;
- l'époque (hors du temps, ancienne, etc.) ;
- le lieu (réaliste, fantastique, etc.) ;
- l'atmosphère (étouffante, mystérieuse, etc.) ;
- la fin (renversante, prévisible, convenue, etc.).

Exemples :

La réalisation

À propos du film *Louis Cyr, l'homme le plus fort du monde* :

« De manière habile et efficace, le réalisateur Daniel Roby mène la barque avec doigté, reconstituant l'époque avec force détails, magnifiant le personnage sans masquer ses parts d'ombre. »

Source : Marc Cassivi, « *Louis Cyr* : Le champion tant attendu », *La Presse*, 9 juillet 2013.

La mise en scène

À propos de la pièce de théâtre *Les aiguilles et l'opium* :

« Devant nous, un immense cube ouvert sur trois faces pivote dans les airs, légèrement incliné vers le public. Tout se passe à l'intérieur de ce cube, où l'on retrouve le personnage de Robert [...]. Tout part de là et, grâce à la magie du théâtre, le cube devient une formidable métaphore de son monde qui bascule. »

Source : Jean Siag, « *Les aiguilles et l'opium* : risques de dépendance », *La Presse*, 10 mai 2014.

Le décor

À propos de la pièce de théâtre *Les aiguilles et l'opium* :

« En pivotant, le cube de Lepage nous entraine d'une scène à l'autre, en nous offrant des perspectives extraordinaires des lieux évoqués. Que ce soit la chambre d'hôtel, le studio d'enregistrement, une gare ou une boîte de musique jazz, la vue est renversante ! »

Source : Jean Siag, « *Les aiguilles et l'opium* : risques de dépendance », *La Presse*, 10 mai 2014.

L'interprétation et le jeu des acteurs

À propos du film *Louis Cyr, l'homme le plus fort du monde* :

« La composition tout en nuances d'Antoine Bertrand empêche le récit de virer à l'eau de rose. Comme du reste le jeu de l'ensemble des acteurs, en particulier Guillaume Cyr (dans le rôle du fidèle second Horace Barré) et Rose-Maïté Erkoreka, qui interprète Mélina Comtois-Cyr, la femme (forte de caractère) de l'homme fort. »

Source : Marc Cassivi, « *Louis Cyr* : Le champion tant attendu », *La Presse*, 9 juillet 2013.

Le ton

À propos du film *Louis Cyr, l'homme le plus fort du monde* :

« Si quelques ressorts dramatiques semblent convenus, Roby parvient à bien transmettre l'émotion des personnages, les accès de colère, les déceptions comme les victoires, petites et grandes. »

Source : Marc Cassivi, « *Louis Cyr* : Le champion tant attendu », *La Presse*, 9 juillet 2013.

La musique

À propos de la pièce de théâtre *Les aiguilles et l'opium* :

« Un mot sur Wellesley Robertson, qui interprète le personnage de Miles Davis (dans un rôle muet). Sa présence est intéressante, mais on regrette quand même qu'il n'ait pu jouer quelques airs avec sa trompette. Ses interprétations d'*air trumpet* ne sont pas très convaincantes.

« La trame narrative des *Aiguilles et l'opium* s'appuie d'ailleurs sur la musique composée par Miles Davis pour le film *Ascenseur pour l'échafaud*. »

Source : Jean Siag, « *Les aiguilles et l'opium* : risques de dépendance », *La Presse*, 10 mai 2014.

Les effets spéciaux

À propos de la pièce de théâtre *Les aiguilles et l'opium* :

« On peut être pour ou contre le déploiement de tels dispositifs technologiques, il reste qu'aucun autre metteur en scène ne parvient à créer des espaces de jeu comme Lepage le fait. »

Source : Jean Siag, « *Les aiguilles et l'opium* : risques de dépendance », *La Presse*, 10 mai 2014.

La conclusion

Elle comporte généralement deux parties :

1 L'appréciation en tant que telle de l'œuvre critiquée, à la lumière des aspects présentés.

2 L'ouverture :

- on peut y faire un parallèle avec une autre œuvre ;
- on peut y discuter de la même œuvre, mais présentée à l'aide d'un autre médium (ex. : livre porté à l'écran).

Exemple :

À propos du film *Louis Cyr, l'homme le plus fort du monde* :

« *Louis Cyr* rappelle d'autres films québécois sur le combat de héros populaires emblématiques (*Maurice Richard*, notamment). Cent ans après sa mort, Louis Cyr est toujours détenteur de records du monde d'épreuves de force. Le film qui lui est consacré a tout pour devenir le champion du box-office québécois de l'été. »

Source : Marc Cassivi, « *Louis Cyr* : Le champion tant attendu », *La Presse*, 9 juillet 2013.

Les étapes de rédaction du compte rendu critique

1 Planifier l'écriture du texte

- Noter les passages importants de l'œuvre.
- Comprendre le contexte sociopolitique de l'œuvre.
- Saisir les références externes présentes dans l'œuvre.
- Choisir les éléments à évaluer.
- Organiser les idées dans un plan (ne doit pas contenir de phrases, mais des expressions simples ; peut inclure les citations retenues comme exemples).

MODÈLE DE PLAN (POUR UN TEXTE D'ENVIRON 550 MOTS)

STRUCTURE	Titre du texte : *Dérapages* : l'émotion avant la morale
Introduction (environ 75 mots)	
1 Sujet amené	
Autres œuvres apparentées par le genre	Popularité récente des documentaires pour grand écran
2 Présentation de l'œuvre	
Titre Nom du réalisateur Moment de sortie en salle	*Dérapages* Paul Arcand 2012 (sorti depuis quelques semaines)

MODÈLE DE PLAN (POUR UN TEXTE D'ENVIRON 550 MOTS)	
Développement (environ 400 mots) (choisir les marqueurs de relation pour lier les paragraphes)	
1 Résumé (environ 150 mots)	
Évènements essentiels	• Conduite automobile dangereuse des jeunes • Accidents violents et histoires humaines déchirantes
Protagonistes	• Les proches et les jeunes victimes d'accidents • Les policiers en patrouille
2 Critique (environ 250 mots)	
Ton (juste)	Pas moralisateur
Effets spéciaux (pertinents)	Dynamisme des effets spéciaux
Musique (significative)	Musique d'ambiance
Ambiance (réaliste)	Environnements des jeunes lors d'excès de vitesse ou de conduite en état d'ébriété recréés
Rythme (enlevant ou plus lent)	• Étonnante vigueur du montage • Ralenti pour laisser la place aux confidences et à la souffrance
Style (approprié)	Pas trop racoleur
Conclusion (environ 75 mots)	
1 Appréciation de l'œuvre critiquée	Pour tous les jeunes conducteurs, et les plus vieux aussi, film à voir
2 Ouverture	
Portée de l'œuvre	Impact réel sur les jeunes conducteurs ? Impossible à déterminer

2 ÉCRIRE LE TEXTE

- Décrire les caractéristiques des personnages principaux et les interactions essentielles.
- Cibler les symboliques, les thèmes centraux de l'œuvre en les reliant à des exemples précis.
- Établir une appréciation de l'œuvre en s'appuyant sur certaines parties représentatives de l'ensemble.
- Choisir le vocabulaire (synonyme, antonyme, mélioratif, péjoratif, etc.).
- Choisir les marqueurs de relation.
- Utiliser le plan pour rédiger le brouillon, le relire et le modifier au cours de la rédaction.

Marqueurs de relation p. 35

EXPRESSIONS POUR RENDRE COMPTE DE L'APPRÉCIATION D'UNE ŒUVRE

Expression	Signification
Tout noir ou tout blanc	Manque de subtilité
Tout en nuances	Subtil
À l'eau de rose	Réalité embellie à outrance
Intrigue cousue de fil blanc	Intrigue prévisible
Personnages stéréotypés	Manque de nuances dans les caractères
Sort des sentiers battus	Original
Intrigue prévisible	Intrigue banale
Dénouement original	Fin surprenante
Univers dichotomique	Vision simpliste (bons et méchants)
Univers rose bonbon	Scénario artificiellement optimiste

EXPRESSIONS POUR RENDRE COMPTE DE L'APPRÉCIATION D'UNE ŒUVRE	
Expression	**Signification**
Apporte son grain de sel	Ajoute de la complexité, de l'inattendu
Pimente l'interprétation	Ajoute de la crédibilité, du panache
Rehausse la distribution	Apporte de l'expérience et du talent
En met plein la vue	Se démarque
Jette de la poudre aux yeux	Peu crédible, décevant
Feu de paille	Succès éphémère
Beaucoup de bruit pour rien	Pas à la hauteur
Artiste éclipsant la distribution par son talent	Artiste exceptionnel, remarquable
Belle brochette d'acteurs	Distribution de talent

3 RÉVISER ET CORRIGER LE TEXTE

Stratégies de révision et de correction p. 159

- Relire le texte (voir la liste de vérification, p. 143).
- Corriger le texte (orthographe d'usage, orthographe grammaticale, syntaxe, ponctuation).
- Choisir un titre accrocheur.

Exemple de compte rendu critique

Dérapages : l'émotion avant la morale

[Sujet amené] // Genre honni du grand public il y a quinze ans, le documentaire est devenu relativement populaire. Assez pour être présenté dans les salles commerciales avec des sorties dans plus de 60 salles au Québec, un sort normalement réservé aux productions de grande envergure. //

[Présentation de l'œuvre] // **[Réalisateur]** Le dernier de Paul Arcand, **[Titre du film]** *Dérapages*, fait l'objet d'une campagne de visibilité monstre **[Moment de sortie en salle]** depuis quelques semaines et son sujet, // **[Résumé]** // **[Évènements essentiels]** les jeunes et la conduite automobile dangereuse, devrait interpeler énormément de monde. C'est un document percutant, troublant et émouvant. On sort du film sonné, résultat d'un cocktail fait d'accidents violents et d'histoires humaines déchirantes rendues plus bouleversantes parce qu'on les sait vraies.

Paul Arcand a rencontré **[Personnages principaux]** les proches des jeunes victimes d'accidents, recueilli leurs témoignages. Il est rapidement devenu évident dans le processus que c'est par le biais des histoires humaines prises en direct que son film pourrait atteindre l'objectif d'interpeler les jeunes, à défaut de changer radicalement leurs comportements, une mission dont tous conviennent qu'elle est utopique. Le film a d'ailleurs cette honnêteté de ne pas s'appuyer sur des jugements moraux et de montrer que même pour des proches des victimes, les comportements ne changent pas forcément. //

[Critique] // **[Rythme/Effets spéciaux/Musique/Atmosphère/Réalisation]** Tout cela est monté avec, à l'occasion, une étonnante vigueur, du dynamisme, des effets spéciaux, une musique d'ambiance pour recréer les environnements dans lesquels les jeunes sont souvent plongés au moment de commettre des bêtises routières. Par contre, *Dérapages* ralentit suffisamment pour écouter les témoignages qui l'exigent. Ce n'est pas du journalisme à proprement parler : le réalisateur se donne une certaine licence pour donner du punch à son sujet sans pour autant éluder toute rigueur. **[Ton]** Arcand a évité les litanies de statistiques et les témoignages d'experts, ce qui nous épargne un prêchi-prêcha qui aurait, c'est vrai, alourdi le tout inutilement.

[Personnages principaux] Les tournages avec des policiers en patrouille pour nous faire vivre la réalité de la route sont pertinents. Mais ce qui fait ce documentaire, ce sont les histoires avec les proches ou les victimes d'accidents. Leurs souffrances, les circonstances des accidents, l'absurdité de la réalité, la bêtise du système, tout ça nous bouleverse.

[Style] L'approche est-elle racoleuse ? Pas trop. On insiste un peu sur le témoignage déchirant d'une jeune mère qui a perdu sa toute petite fille happée par un chauffard, dans la cour de la maison de sa gardienne. Le comportement du jeune au volant était inacceptable et pourtant caractéristique de ce qu'on voit trop souvent. Non, tous les jeunes ne sont pas des imbéciles fous de vitesse mais les 16-24 ans demeurent surreprésentés dans les accidents de la route et il convient qu'on s'y attarde. // **[Conclusion] [Appréciation]** Cela dit, le document interpellera tout le monde, adultes comme adolescents.

Le documentariste ne donne pas non plus de réponse au problème parce qu'il a l'honnêteté d'admettre qu'il n'en existe pas. Il présente diverses mesures mises de l'avant un peu partout dans le monde et suggère que la voie la plus pertinente pour améliorer la situation demeure, sans doute, l'implication intelligente des parents.

On sort de tout ça nettement plus ébranlé que révolté, mais l'impact est réel. **[Ouverture]** Assez pour empêcher quelqu'un de conduire après avoir bu ou l'empêcher de commettre des excès de vitesse ? On ne sait pas. N'empêche, on souhaite que tous les jeunes conducteurs, et les plus vieux aussi, voient ce film. //

Source : François Houde, « *Dérapages* : l'émotion avant la morale », *Le Nouvelliste*, 28 avril 2012.

exercices

1 **À la seule lecture du titre du compte rendu « *Dérapages* : l'émotion avant la morale », pouvez-vous percevoir l'opinion de l'auteur ? Que suggère ce titre au sujet du film ?**

____

____

____

____

____

____

2 **Relisez le compte rendu et faites la liste du vocabulaire mélioratif ou des phrases favorables au film qui confirment que l'auteur a apprécié l'œuvre.**

____

____

____

____

____

____

____

____

____

____

3. Faites une recherche sur Internet afin de trouver de l'information sur les trois films québécois ci-dessous. À partir des renseignements recueillis, rédigez pour chacun une introduction d'environ 75 à 100 mots (sujet amené et présentation) d'un compte rendu critique.

a) *Incendies*

b) *Rebelle*

c) *Starbuck*

4. Vous écrivez dans un blogue consacré au cinéma. Résumez en 150 à 250 mots un film que vous avez déjà vu. Le but est de donner aux internautes un aperçu clair de l'intrigue, du style et de l'ambiance du film sans leur raconter le dénouement. Vous devez rester objectif dans vos propos.

5. Votre amie ne sait vraiment pas quel livre prendre à la bibliothèque. Pour l'aider à faire un choix éclairé, résumez-lui d'une manière objective le meilleur livre que vous avez lu. Racontez et décrivez l'intrigue, le lieu et le rôle des personnages principaux dans un texte de 150 à 250 mots. Ne lui révélez pas la fin de l'histoire !

6 **Selon l'œuvre faisant l'objet d'un compte rendu critique, il faut mentionner certains éléments et en omettre d'autres. Faites le tableau des éléments incontournables à présenter dans un compte rendu de film, de roman et de représentation théâtrale.**

FILM	ROMAN	REPRÉSENTATION THÉÂTRALE

7 **Lisez le poème suivant[1] et faites un compte rendu de 250 à 350 mots pour présenter, résumer et critiquer ce texte. Servez-vous du plan et de la grille de correction pour planifier et corriger votre compte rendu.**

Le dormeur du val

C'est un trou de verdure où chante une rivière,
Accrochant follement aux herbes des haillons
D'argent; où le soleil, de la montagne fière,
Luit: c'est un petit val qui mousse de rayons.

Un soldat jeune, bouche ouverte, tête nue,
Et la nuque baignant dans le frais cresson bleu,
Dort; il est étendu dans l'herbe, sous la nue,
Pâle dans son lit vert où la lumière pleut.

Les pieds dans les glaïeuls, il dort. Souriant comme
Sourirait un enfant malade, il fait un somme:
Nature, berce-le chaudement: il a froid.

Les parfums ne font pas frissonner sa narine;
Il dort dans le soleil, la main sur sa poitrine,
Tranquille. Il a deux trous rouges au côté droit.

1 Arthur Rimbaud, *Le dormeur du val*, 1870.

Plan du compte rendu critique

STRUCTURE

Titre du texte :

Introduction

Sujet amené

Présentation de l'œuvre

Développement

Résumé

Critique

Conclusion

Appréciation de l'œuvre critiquée

Ouverture

Révision d'un compte rendu critique

Liste de vérification

Préparation de la rédaction

- J'ai noté les passages importants de l'œuvre. ☐
- J'ai saisi le contexte historique, social, politique, culturel, etc., de l'œuvre. ☐
- J'ai dressé une liste des aspects essentiels à aborder. ☐
- J'ai organisé mes idées dans un plan. ☐

Rédaction

- J'ai structuré mon texte en trois parties : introduction, développement, conclusion. ☐
- J'ai construit une introduction en quatre parties : sujet amené, présentation de l'œuvre, présentation des principaux artistes, moment de la parution, de la création ou de la sortie en salle. ☐
- J'ai écrit un développement en deux parties : résumé, critique. ☐
- J'ai résumé l'œuvre en rappelant les passages essentiels et en présentant les personnages principaux. ☐
- J'ai utilisé des tournures brèves, des synonymes, des termes précis et englobants. ☐
- J'ai ciblé les thèmes et les symboliques centrales de l'œuvre en les liant à des exemples précis. ☐
- J'ai exprimé mon appréciation avec rigueur et clarté. ☐
- J'ai construit une conclusion en deux parties : rappel de l'appréciation, ouverture. ☐
- J'ai utilisé des marqueurs de relation pour assurer la continuité et la progression. ☐
- J'ai rédigé le texte principalement au présent, en utilisant les effets de style avec modération. ☐
- J'ai respecté les règles d'orthographe d'usage, de grammaire et de ponctuation. ☐
- J'ai donné un titre accrocheur à mon texte. ☐
- J'ai compté et indiqué à la fin de mon texte le nombre de mots. ☐

CHAPITRE 10

RÉDIGER une dissertation explicative

Le but de la dissertation explicative

La dissertation explicative répond à un questionnement de nature littéraire, philosophique ou historique, entre autres. Dans le champ littéraire, la dissertation explicative vise à démontrer, à l'aide d'œuvres ou d'extraits d'œuvres, la justesse d'un énoncé de départ. Elle permet de bâtir un raisonnement articulé à partir de l'étude de l'œuvre elle-même. Elle ne conduit pas à prendre position. Le but de la dissertation explicative est non seulement de comprendre une œuvre, en tout ou en partie, pour ce qu'elle est, mais aussi de faire des liens avec d'autres œuvres et avec les courants littéraires et sociohistoriques dans lesquels elle s'inscrit.

Les compétences nécessaires pour disserter

Écrire une dissertation explicative exige :

- une lecture attentive de l'œuvre à l'étude ;
- une compréhension de toutes les composantes de l'énoncé de départ ;
- un jugement éclairé quant au choix des éléments à retenir pour soutenir l'énoncé ;
- une capacité d'analyse permettant d'exposer clairement les liens entre les éléments choisis ;
- un esprit de synthèse pour regrouper les idées retenues ;
- un grand souci de la qualité de la langue.

Les caractéristiques de la dissertation explicative

Les indices linguistiques

Dans une dissertation explicative, on trouve généralement :

- des verbes conjugués au présent de l'indicatif principalement, mais aussi au conditionnel présent ou au subjonctif présent afin de nuancer le propos ;
- des pronoms personnels à la 3e personne du singulier (*je*, *tu* et *vous* à éviter) ;
- des guillemets permettant l'introduction de passages tirés de l'œuvre à l'étude ;
- des marqueurs de relation pour souligner les étapes de la dissertation (*d'abord*, *de plus*, *enfin*, etc.).

L'organisation du contenu

Une dissertation explicative doit :

- accepter et démontrer ce qui est affirmé dans l'énoncé de départ ;
- illustrer tous les aspects de l'énoncé de départ ;

- faire une démonstration rigoureuse du point de vue proposé dans l'énoncé;
- présenter de façon ordonnée les éléments significatifs de l'exposé;
- adopter un ton neutre;
- informer et guider le lecteur.

La structure de la dissertation explicative

Comme tout autre type de texte, la dissertation explicative comporte une introduction, un développement et une conclusion. L'introduction questionne, le développement démontre, la conclusion confirme.

L'introduction

L'introduction comprend généralement trois parties. Elle présente, pose et divise l'énoncé du sujet.

1 Le sujet amené (l'introduction à l'énoncé)

Cette première partie de l'introduction peut:
- donner une vision générale de l'énoncé du sujet;
- inclure des références historiques;
- faire référence au courant littéraire dans lequel s'inscrit l'œuvre à l'étude;
- inclure un proverbe, un aphorisme, une maxime.

Il est important que le lien entre le sujet amené et le sujet posé (la partie suivante de l'introduction) soit clair. Le sujet amené ne doit pas être trop loin du sujet posé ou trop vague.

2 Le sujet posé (l'énoncé du sujet à disserter)

La consigne sur laquelle s'élabore la dissertation explicative contient généralement les verbes suivants:

- montrer
- justifier
- dégager
- démontrer
- illustrer
- expliquer
- décrire

Il faut reformuler dans ses mots le sujet de la dissertation, en y incluant toutes les composantes de l'énoncé. Il est acceptable de transformer cet énoncé en question. Le point de vue que l'auteur expose est conforme à l'énoncé de départ.

Exemple:

Sujet de dissertation:

L'ambiance sereine laisse rapidement la place au désespoir et à la solitude dans le poème « Déjeuner du matin », de Jacques Prévert. Illustrez-le.

Reformulation sous forme d'énoncé:

Dans « Déjeuner du matin », de Jacques Prévert, l'atmosphère réconfortante est vite brisée par la tristesse et l'abandon.

Reformulation sous forme de question:

Dans « Déjeuner du matin », de Jacques Prévert, comment le climat rassurant du début glisse-t-il inexorablement vers une douleur silencieuse?

3 Le sujet divisé (la présentation brève des idées principales)

- On y énumère, dans l'ordre, les idées principales qui seront abordées dans le développement.
- On utilise des marqueurs de relation pour bien articuler les idées présentées.

Le sujet divisé annonce au lecteur les parties du développement.

Le développement

Le développement comprend habituellement deux ou trois paragraphes ou plus, chacun permettant d'exposer une idée principale à l'aide de deux ou trois idées secondaires. Pour lier les idées entre elles, on se sert de marqueurs de relation (*d'abord, ensuite, par ailleurs, par conséquent*, etc.).

Premier paragraphe

1 **1re idée principale :** Élément de réponse apporté à l'énoncé de départ.

a) **1re idée secondaire :** L'idée secondaire étudie un volet spécifique de l'idée principale. Chaque idée secondaire est illustrée par un exemple et un commentaire.

i. Exemple : Citation tirée du texte à l'étude.

ii. Commentaire : Il accompagne l'exemple. Il le présente, l'explique et en justifie le choix.

Les commentaires et les exemples sont souvent entremêlés. Le commentaire permet parfois d'introduire l'exemple et se poursuit pour mettre en lumière les éléments illustrés par l'exemple.

b) **2e idée secondaire**

i. Exemple

ii. Commentaire

2 **La conclusion partielle :** Phrase qui résume brièvement l'idée principale du paragraphe et fait le lien avec le paragraphe suivant.

Deuxième paragraphe

1 **2e idée principale**

a) **1re idée secondaire**

i. Exemple

ii. Commentaire

b) **2e idée secondaire**

i. Exemple

ii. Commentaire

2 **La conclusion partielle**

Il est important que chaque paragraphe soit à peu près de la même longueur et, autant que possible, comprenne des exemples et des commentaires d'égale qualité.

La conclusion

Elle comporte généralement deux parties :

1 **La synthèse des idées principales et le rappel du sujet posé :** doit se faire avec des mots différents de ceux employés dans les paragraphes.

2 **L'ouverture :** élargissement du débat qui provoque la réflexion, laisse entrevoir une autre perspective ou présente un autre point de vue sur le sujet.

Exemples :

Autre personnage, autre œuvre du même auteur, même œuvre portée à l'écran, autre thème, interaction entre deux personnages qui est de nature différente de celle qui a été discutée.

Pour amener la conclusion, on se sert des marqueurs de relation suivants : *pour terminer, en conclusion, pour conclure, en fin de compte*, etc.

Les étapes de rédaction de la dissertation explicative

1 Comprendre le sujet

L'énoncé du sujet comporte quatre parties :

1. **Le thème** : idée, concept, émotion, valeur, jugement, etc.
2. **L'angle d'approche** : point de vue, perspective selon laquelle le thème doit être abordé.
3. **Les consignes** : suggestions, contraintes.
4. **L'objet** : textes, extraits, période, genre littéraire, etc.

L'énoncé du sujet contient généralement le plan implicite et parfois explicite de la dissertation explicative. Il suffit de bien comprendre chaque partie pour définir un plan solide et entreprendre ainsi une lecture ciblée de l'œuvre. On sélectionne ensuite les citations et les exemples les plus appropriés à la démonstration exigée par l'énoncé du sujet.

Exemple :

Résumé du livre *Le grand cahier* d'Agota Kristof :

Deux jumeaux doivent habiter temporairement chez leur grand-mère à la campagne pour s'abriter des dangers de la guerre qui sévit en ville. Ils apprennent à survivre aux privations et aux mauvais traitements que leur fait subir leur grand-mère. Pour s'adapter à ce cruel climat, ils s'imposent de curieux exercices et tissent bientôt un étonnant lien de sang avec cette femme.

Sujet de dissertation :

Expliquez comment, dans *Le grand cahier*, le personnage de la grand-mère est à l'opposé du portrait rassurant habituel et dites de quelle façon cette grand-mère témoigne d'une tendresse marginale envers ses petits-fils.

ÉLÉMENTS	EXEMPLES
Thème	• Pas rassurante • Tendresse marginale
Angle d'approche	• Grand-mère
Consigne	• Expliquez comment / Dites de quelle façon
Objet	• *Le grand cahier*

2 Analyser le texte littéraire en fonction du sujet

La lecture du texte littéraire à l'étude doit se faire selon l'angle suggéré dans l'énoncé du sujet de la dissertation. On doit retenir tous les éléments pertinents à l'élaboration de l'exposé et les ordonner. Les exemples peuvent être liés au style, aux procédés littéraires (ex. : figures de style), aux champs lexicaux, aux personnages, aux idées, aux thèmes, etc.

3 Faire le plan

Pour faire le plan de la dissertation, une lecture attentive de l'énoncé du sujet est essentielle pour en comprendre toutes les composantes. Ensuite, il faut faire une lecture efficace du texte ou de l'extrait de texte à l'étude en l'annotant en fonction des exigences de l'énoncé.

Comprendre un texte page 61

Exemple :

Le Loup et le Chien

1 Un Loup n'avait que les os et la peau,
Tant les chiens faisaient bonne garde.
Ce Loup rencontre un Dogue aussi puissant que beau,
Gras, poli, qui s'était fourvoyé par mégarde.
5 L'attaquer, le mettre en quartiers,
Sire Loup l'eût fait volontiers ;
Mais il fallait livrer bataille,
Et le mâtin était de taille
À se défendre hardiment.
10 Le Loup donc l'aborde humblement,
Entre en propos, et lui fait compliment
Sur son embonpoint, qu'il admire.
« Il ne tiendra qu'à vous, beau sire,
D'être aussi gras que moi, lui répartit le Chien.
15 Quittez les bois, vous ferez bien :
Vos pareils y sont misérables,
Cancres, hères et pauvres diables,
Dont la condition est de mourir de faim.
Car, quoi ? Rien d'assuré : Point de franche lippée ;
20 Tout à la pointe de l'épée.
Suivez-moi : vous aurez un bien meilleur destin. »
Le Loup reprit : « Que me faudra-t-il faire ?
— Presque rien, dit le Chien : donner la chasse aux gens
Portant bâtons, et mendiants ;
25 Flatter ceux du logis, à son maître complaire :
Moyennant quoi votre salaire
Sera force reliefs de toutes les façons,
Os de poulets, os de pigeons,
Sans parler de mainte caresse. »
30 Le Loup déjà se forge une félicité
Qui le fait pleurer de tendresse.
Chemin faisant, il vit le cou du Chien pelé.
« Qu'est-ce là ? lui dit-il. — Rien. — Quoi ? Rien ? — Peu de chose.
— Mais encore ? — Le collier dont je suis attaché
35 De ce que vous voyez est peut-être la cause.
— Attaché ? dit le Loup : vous ne courez donc pas
Où vous voulez ? — Pas toujours ; mais qu'importe ?
— Il importe si bien, que de tous vos repas
Je ne veux en aucune sorte,
40 Et ne voudrais pas même à ce prix un trésor. »
Cela dit, maître Loup s'enfuit, et court encore.

Jean de la Fontaine, « Le Loup et le Chien », *Fables : Livre I*, 1668.

Question :

Démontrez que l'existence du loup est marquée par sa condition d'être libre dans la fable *Le Loup et le Chien*.

MODÈLE DE PLAN (TEXTE D'ENVIRON 600 MOTS)	
STRUCTURE	**EXEMPLE**
INTRODUCTION (un paragraphe d'environ 125 mots)	
1. Sujet amené (S.A.) Introduction à l'énoncé	La Fontaine, XVIIe siècle, fait parler les bêtes, 5e fable du livre 1.
2. Sujet posé (S.P.) Énoncé du sujet à disserter (reformulé)	Le loup assume sa vie d'être libre, et cette décision influence son destin.
3. Sujet divisé (S.D.) Présentation des idées principales qui seront développées, dans l'ordre.	• Liberté ⟶ marque le loup physiquement (négatif). • Liberté ⟶ marque le loup psychologiquement (positif).
DÉVELOPPEMENT (deux paragraphes d'environ 200 mots chacun)	
1. 1re idée principale (I.P.)	• Conséquences négatives de la liberté sur les conditions de vie matérielles du loup
• 1re idée secondaire (I.S.) – Exemples (citations)	Loup mal nourri et allure pitoyable. – « Un Loup n'avait que les os et la peau » (ligne 1). – « Vos pareils [...] sont misérables / Cancres, hères et pauvres diables » (lignes 16-17).
– Commentaire (explication)	L'apparence du loup contraste avec celle du chien.
• 2e idée secondaire (I.S.) – Exemple (citation)	Incertitude de la pitance. Le loup a du mal à trouver à manger. « Car quoi ? Rien d'assuré : Point de franche lippée ; / Tout à la pointe de l'épée » (lignes 19-20).
– Commentaire (explication)	Loup doit se battre pour la nourriture.
• Conclusion partielle (C.P.)	Portrait défavorable du loup, légitimité de vouloir améliorer sa qualité de vie.
2. 2e idée principale (I.P.)	• Conséquences positives de la liberté sur les qualités du loup
• 1re idée secondaire (I.S.) – Exemples (citations)	Loup combattif, prudent, sage, parle peu et vrai. – « L'attaquer, le mettre en quartiers » (ligne 5). – « Le Loup donc l'aborde humblement, / Entre en propos, et lui fait compliment / Sur son embonpoint, qu'il admire » (lignes 10-12).
– Commentaire (explication)	Loup sait qu'il doit se battre pour survivre, même si l'adversaire est impressionnant. Par contre, est réaliste et ne flatte pas l'adversaire à outrance. Réserve du loup contraste avec éloquence du chien.
• 2e idée secondaire (I.S.)	Loup se surprend à rêver, mais revient sur terre rapidement. N'hésite pas longtemps, n'est pas dupe.
– Exemples (citations)	« Le Loup déjà se forge une félicité / Qui le fait pleurer de tendresse » (lignes 30-31). « Il importe si bien, que de tous vos repas / Je ne veux en aucune sorte » (lignes 38-39).
– Commentaire (explication)	Loup résiste au discours faux du chien, ne renonce pas à ses principes, loyal envers lui-même.
• Conclusion partielle (C.P.)	Loup prend conscience que la liberté est vitale pour lui, plus que la nourriture.

MODÈLE DE PLAN (TEXTE D'ENVIRON 600 MOTS)	
STRUCTURE	**EXEMPLE**
CONCLUSION (un paragraphe d'environ 75 mots)	
1. Synthèse des idées principales (S.) et rappel du sujet posé (R.)	• Liberté (négatif) = difficile à vivre (physique). • Liberté (positif) = façon de vivre pleinement (psychologique). • Loup ne peut renoncer à sa condition d'être libre; Son caractère combattif et avisé ne peut pas cadrer dans une vie de servitude, malgré toute la nourriture possible.
3. Ouverture (O.)	Le chien ⟶ marqué physiquement (collier) et psychologiquement (maitre) = soumission.

4 Rédiger la dissertation explicative

Lorsqu'on écrit une dissertation explicative, il est essentiel de se référer au plan qui a été réalisé au préalable pour rédiger le brouillon, le relire et le modifier, au besoin, au cours de la rédaction.

Exemple de dissertation explicative

Énoncé du sujet : Démontrez que l'existence du loup est marquée par sa condition d'être libre dans la fable *Le Loup et le Chien.*

Titre de la dissertation : **Petit bestiaire de la liberté**

Introduction

[Sujet amené] Jean de La Fontaine, écrivain du XVIIe siècle, est passé maitre dans l'art de la fable. Il n'est pas le premier à faire parler les animaux : Ésope et Phèdre l'ont fait avant lui dans l'Antiquité. Il s'en inspire d'ailleurs, en homme de son temps pour qui les Anciens servent de modèle. *Le Loup et le Chien* est la cinquième fable du livre 1. Grâce à ces deux personnages, La Fontaine nous sert une leçon sur la liberté. **[Sujet posé]** Le loup assume sa vie d'être libre et cette décision influence son destin. **[Sujet divisé]** Le loup est éprouvé ; cette liberté durement acquise laisse chez lui des traces physiques et psychologiques. Cependant, bien qu'affaibli, il reste fidèle à ses principes.

Développement

[1re idée principale] Tout d'abord, le loup est affecté physiquement par cette liberté qui lui est chère. **[1re idée secondaire – Exemple/Commentaire]** En effet, choisir d'être libre n'est pas une mince affaire pour le loup. On le présente comme un être maigre, mal nourri qui « n'avait que les os et la peau » (ligne 1). Ce sont d'ailleurs les os qu'on nomme en premier lieu, ce qui se remarque avant tout chez cette pauvre bête décharnée. Au contraire, le chien est « aussi puissant que beau / Gras, poli » (lignes 3-4). Tout un contraste. Ce dernier n'a de cesse de faire voir au loup qu'il appartient à une bien triste société, celle des bêtes libres. Toujours selon le chien, le loup et ses semblables sont « misérables / Cancres, hères et pauvres diables » (lignes 16-17). **[2e idée secondaire – Exemple/Commentaire]** Cette incertitude de la pitance est indéfendable pour le chien. Quant au loup, il doit se battre chaque jour pour manger : « Car quoi ? Rien d'assuré : point de franche lippée ; / tout à la pointe de l'épée. » (lignes 19-20) Cette liberté, le loup semble la payer au prix fort, du moins aux yeux du chien. **[Conclusion partielle]** Devant ce portrait physique défavorable, c'est bien légitime qu'il tente d'améliorer sa qualité de vie au contact du chien.

[2e idée principale] Cependant, le loup est galvanisé psychologiquement par cette liberté. **[1re idée secondaire – Exemple/Commentaire]** Être libre, si c'est une difficulté, est aussi une fierté. Le loup est combattif. Il a le courage d'en découdre avec le chien. Il est prêt à « l'attaquer, le mettre en quartiers » (ligne 5). L'allitération des consonnes « k » et « t » rappelle la vigueur des coups que le loup aimerait bien porter au chien. Seulement, le chien « était de taille / À se défendre hardiment » (lignes 8-9). **[2e idée secondaire – Exemple/ Commentaire]** Le loup a donc la sagesse de discuter plutôt que de se battre. Il parle peu et va droit au but en complimentant le chien, sans trop en dire ; il « l'aborde humblement, / [...] lui fait compliment / Sur son embonpoint, qu'il admire » (lignes 10-12). La réserve du loup contraste avec l'éloquence du chien, qui n'a que belles paroles de politicien. Le loup se surprend tout de même à rêver : il « se forge une félicité / Qui le fait pleurer de tendresse. » (lignes 30-31) Mais il revient vite sur terre. Car bien que le chien lui ait vanté sa condition de bête bien nourrie, son assurance s'effondre quand le loup découvre la vérité : le chien est attaché et doit « à son maître complaire » (ligne 25). Il résiste au discours faux du chien, ne renonce pas à ses principes et est loyal envers lui-même : « Il importe si bien, que de tous vos repas / Je ne veux en aucune sorte. » (lignes 38-39) **[Conclusion partielle]** Il prend conscience que la liberté est vitale pour lui, plus que le confort matériel.

Conclusion

[Synthèse] Somme toute, la liberté n'est pas toujours aisée à assumer, le choix de la facilité est attirant. Par contre, il n'y a pas d'autre façon de vivre pleinement pour le loup. **[Rappel du sujet posé]** Le Loup, bien que parfois souffreteux, ne peut renoncer à sa condition d'être libre. Son caractère combattif et avisé n'est pas compatible avec une vie de servitude, malgré toute la nourriture possible. La Fontaine fait le portrait des hommes derrière les bêtes. Combien de flatteurs et de serviles choisissent le confort de la subordination plutôt que le risque de vivre en êtres libres ? **[Ouverture]** En cela, le chien, au contraire du loup, est bien marqué physiquement (collier) et psychologiquement (maitre) par sa soumission.

5 Réviser et corriger le texte

Après la rédaction du brouillon, relire le texte et le corriger.

Stratégies de révision et de correction page 159

exercices

1 Remplissez les tableaux afin de déterminer les composantes des énoncés de sujets de dissertation suggérés.

Résumé de la nouvelle *Deux mots* d'Isabel Allende :

Sous le régime dictatorial d'un pays pauvre d'Amérique latine, Belisa échappe à sa condition misérable, apprend à lire et à écrire et se fait marchande de mots. Un colonel révolutionnaire, qui aspire au pouvoir par la voie démocratique, lui commande un discours. Il est acclamé dans tout le pays grâce aux mots dictés par Belisa. Elle lui a par ailleurs donné deux mots gratuits pour son usage personnel. Ces deux mots et le souvenir de Belisa obsèdent le colonel.

Résumé du livre *Balzac et la petite tailleuse chinoise* de Dai Sijie :

En Chine, en pleine révolution culturelle sous Mao, deux adolescents délurés, Ma et Luo, se retrouvent en rééducation, au cœur de la campagne profonde d'une région éloignée. Leur univers est bientôt complètement métamorphosé par la rencontre d'une jolie montagnarde inculte, la petite tailleuse, et par la découverte de livres occidentaux interdits sous le régime communiste. Ces deux intérêts seront bientôt l'objet de tous les fantasmes de Ma et de Luo, et la petite tailleuse sera elle aussi séduite par la littérature subversive.

Sujets de dissertation :

a) Illustrez comment, dans la nouvelle *Deux mots*, le parcours initiatique qu'entreprend Belisa va la transformer et influencer son entourage.

Éléments	Exemples
Thème	
Angle d'approche	
Consigne	
Objet	

b) Démontrez comment le pouvoir des mots influence pour le meilleur et pour le pire la destinée de Belisa, dans *Deux mots*, et celle de la petite tailleuse, dans *Balzac et la petite tailleuse chinoise*.

Éléments	Exemples
Thème	
Angle d'approche	
Consigne	
Objet	

2 **Voici deux introductions pour les sujets de dissertation de la question 1. Remettez les étapes en ordre en les numérotant dans le texte :**

1 Sujet amené 2 Sujet posé 3 Sujet divisé

1re dissertation

☐ [Belisa, jeune fille illettrée, voit sa vie transformée par l'apprentissage des mots. Elle devient maitresse de son destin par cette connaissance de la lecture et de l'écriture. À son tour, le colonel voit sa carrière politique propulsée par les mots que Belisa écrit pour lui. Ces mots, ces *Deux mots*, traceront des voies parallèles qui se croiseront au final.] ☐ [C'est en effet un long parcours que Belisa entreprend pour se sortir de la misère, un parcours qui la changera et influencera aussi profondément son entourage.] ☐ [En Amérique latine, les dictatures ne sont jamais bien loin. La population peine parfois à se sortir du marasme, et les changements vers un idéal de justice semblent impossibles. Isabel Allende, journaliste et écrivaine chilienne exilée à l'époque de la dictature de Pinochet, connait bien ces difficultés. Dans sa nouvelle *Deux mots*, elle reprend ces considérations au moyen de la fiction et des personnages de Belisa et du colonel.]

2e dissertation

☐ [Deux femmes fortes — Belisa, dans *Deux mots*, et la petite tailleuse, dans *Balzac et la petite tailleuse chinoise* — mettent les mots au cœur de leur existence et de leur résistance, à leurs risques et périls.] ☐ [Elles en découvriront le pouvoir avec son lot de bonnes et de mauvaises conséquences. Chose certaine, elles auront toutes deux le dernier mot quand il s'agira de leur destin.] ☐ [Les femmes n'ont pas d'âme, les femmes sont hystériques, les femmes n'ont pas le droit de vote, donc pas de droit de parole. C'était avant, fort heureusement. Dans la nouvelle *Deux mots*, d'Isabel Allende, et dans le roman *Balzac et la petite tailleuse chinoise*, de Dai Sijie, les personnages féminins ont une importance capitale.]

3 **Suggérez un énoncé de dissertation pour chacun des sujets suivants. Prenez soin d'y inclure le thème, l'angle d'approche, la consigne et l'objet. L'énoncé peut se rattacher à une œuvre précise.**

a) L'argent dans la littérature québécoise du terroir.

b) La solitude dans la poésie romantique du 19e siècle.

c) Le mensonge et le quiproquo dans le théâtre du 18e siècle.

d) Le poids du politique et de l'exil dans la littérature francophone.

4 Suggérez un plan de dissertation explicative pour chacun des énoncés suivants. Faites référence aux œuvres de votre choix.

a) La littérature québécoise met principalement en scène le personnage du anti-héros. Commentez cette affirmation en vous appuyant sur vos lectures personnelles.

b) Il existe un grand éventail de personnages féminins combattifs et maitres de leur destin dans la littérature d'expression française. Illustrez cette affirmation à l'aide des œuvres francophones que vous connaissez.

c) La quête d'identité est omniprésente dans plusieurs œuvres contemporaines. Démontrez-le en vous appuyant sur vos connaissances littéraires.

d) La ville est le lieu de toutes les perditions et de toutes les rédemptions dans la littérature québécoise. Commentez cette affirmation en vous appuyant sur vos connaissances littéraires.

5 Lisez l'extrait suivant[1], puis répondez aux questions.

Quasimodo

1 Quasimodo était donc carillonneur de Notre-Dame. Avec le temps, il s'était formé je ne sais quel lien intime qui unissait le sonneur à l'église. Séparé à jamais du monde par la double fatalité de sa naissance inconnue et de sa nature difforme, emprisonné dès l'enfance dans ce double cercle infranchissable, le pauvre malheureux s'était accoutumé à ne rien voir dans ce monde au-delà des 5 religieuses murailles qui l'avaient recueilli à leur ombre. Notre-Dame avait été successivement pour lui, selon qu'il grandissait et se développait, l'œuf, le nid, la maison, la patrie, l'univers.

Et il est sûr qu'il y avait une sorte d'harmonie mystérieuse et préexistante entre cette créature et cet édifice. Lorsque, tout petit encore, il se traînait tortueusement et par soubresauts sous les ténèbres de ses voûtes, il semblait, avec sa face humaine et sa membrure bestiale, le reptile naturel de cette 10 dalle humide et sombre sur laquelle l'ombre des chapiteaux romans projetait tant de formes bizarres.

Plus tard, la première fois qu'il s'accrocha machinalement à la corde des tours, et qu'il s'y pendit, et qu'il mit la cloche en branle, cela fit à Claude, son père adoptif, l'effet d'un enfant dont la langue se délie et qui commence à parler.

C'est ainsi que peu à peu, se développant toujours dans le sens de la cathédrale, y vivant, y 15 dormant, n'en sortant presque jamais, en subissant à toute heure la pression mystérieuse, il arriva à lui ressembler, à s'y incruster, pour ainsi dire, à en faire partie intégrante. Ses angles saillants s'emboîtaient, qu'on nous passe cette figure, aux angles rentrants de l'édifice, et il en semblait, non seulement l'habitant, mais encore le contenu naturel. On pourrait presque dire qu'il en avait pris la forme, comme le colimaçon prend la forme de sa coquille. C'était sa demeure, son trou, son 20 enveloppe. Il y avait entre la vieille église et lui une sympathie instinctive si profonde, tant d'affinités magnétiques, tant d'affinités matérielles, qu'il y adhérait en quelque sorte comme la tortue à son écaille. La rugueuse cathédrale était sa carapace.

a) Relevez les passages qui présentent Quasimodo comme un animal.

____

____

____

____

b) Relevez les passages qui présentent la cathédrale comme une prison.

____

____

____

____

1 Victor Hugo, *Notre-Dame-de-Paris*, livre IV, chapitre III, 1831.

c) Relevez les passages qui présentent la cathédrale comme une figure maternelle.

____

____

____

____

____

6 Choisissez l'un des deux sujets de dissertation suivants. Faites ensuite le plan de votre dissertation explicative, puis rédigez un texte d'environ 550 mots.

a) Le personnage de Quasimodo fait corps avec la cathédrale. Illustrez de quelle manière cette fusion protège et, du même coup, isole Quasimodo.

b) Montrez de quelle façon Quasimodo et la cathédrale se transforment pour en arriver à une fusion bienfaisante.

Plan de la dissertation explicative

STRUCTURE	Titre du texte : ______________________
Introduction	
1. Sujet amené (S.A.)	______________________
	______________________
2. Sujet posé (S.P.) Énoncé du sujet à disserter (reformulé)	______________________
	______________________
3. Sujet divisé (S.D.) Présentation des idées principales qui seront développées, dans l'ordre.	______________________
	______________________
	______________________
Développement	
1. 1re idée principale (I.P.)	______________________
Affirmation	______________________
	______________________
• 1re idée secondaire (I.S.)	______________________
	______________________
Exemple (citation)	______________________
	______________________
Commentaire (explication)	______________________
• 2e idée secondaire (I.S.)	______________________
	______________________
Exemple (citation)	______________________
	______________________
Commentaire (explication)	______________________
• Conclusion partielle (C.P.)	______________________

Plan de la dissertation explicative

2. 2e idée principale (I.P.) ______

Affirmation ______

- 1re idée secondaire (I.S.) ______

______

Exemple (citation) ______

______

Commentaire (explication) ______

- 2e idée secondaire (I.S.) ______

______

Exemple (citation) ______

______

Commentaire (explication) ______

- Conclusion partielle (C.P.) ______

______

Conclusion

1. Synthèse des idées principales (S.) et rappel du sujet posé (R.) ______

______

______

2. Ouverture (O.) ______

______

Révision d'une dissertation explicative

Liste de vérification

Préparation de la rédaction

- J'ai bien compris tous les aspects de la question. ☐
- J'ai sélectionné et ordonné les éléments les plus pertinents pour illustrer toutes les composantes de la question. ☐
- J'ai organisé mes idées dans un plan. ☐

Rédaction

- J'ai structuré mon texte en trois parties : introduction, développement, conclusion. ☐
- J'ai construit une introduction en trois parties (sujet amené, sujet posé, sujet divisé). ☐
- J'ai développé chaque idée principale dans un paragraphe structuré (idées secondaires, exemples, commentaires, conclusion partielle). ☐
- J'ai respecté les règles d'usage dans l'introduction de mes citations servant d'exemples (voir annexe 5, p. 166). ☐
- J'ai construit une conclusion en deux parties (synthèse et rappel du sujet posé, ouverture). ☐
- J'ai utilisé des marqueurs de relation pour assurer la continuité et la progression. ☐
- J'ai respecté le jugement de départ énoncé dans la question et j'ai bien illustré cette position. ☐
- J'ai rédigé le texte principalement au présent et à la 3e personne. ☐
- J'ai respecté les règles d'orthographe d'usage, de grammaire et de ponctuation. ☐
- J'ai compté et indiqué à la fin de mon texte le nombre de mots. ☐
- J'ai choisi un titre représentatif de la démonstration exigée par la dissertation. ☐

annexes

ANNEXE 1 Les registres de langue

Lorsqu'on s'exprime, à l'oral ou à l'écrit, on choisit des mots et des constructions qui correspondent à la situation de communication donnée (conversation avec un ami, exposé informatif devant un auditoire, dissertation explicative, article de journal, etc.).

Il existe trois registres de langue principaux.

LES REGISTRES DE LANGUE		
Familier	**Standard**	**Soutenu**
Utilisé surtout **à l'oral**, dans les conversations informelles entre amis ou en famille.	Utilisé tant **à l'oral** qu'**à l'écrit**, dans les articles de journaux, les bulletins d'information, les manuels scolaires, les exposés devant un public, les entrevues pour un emploi, etc. C'est **la norme** de la langue, celle qui est prescrite dans les dictionnaires et les grammaires.	Utilisé surtout **à l'écrit**, dans certains textes officiels, les textes littéraires ou dans les revues spécialisées.
Exemples :	**Exemples :**	**Exemples :**
C'est vrai qu'on l'a **chicané ben gros**.	C'est vrai que nous l'avons **bien réprimandé**.	Toujours est-il que nous l'avons **sérieusement sermonné**.
Eille ! Arrête de beurrer aussi épais ; ma cousine pis moi, on s'laissera pas embobiner par ton tétage !	Arrête tes flatteries ; ma cousine et moi, nous n'avons pas l'intention de nous laisser impressionner par tes compliments.	Ayez l'obligeance de ne plus nous importuner avec vos louanges ; ma cousine et moi, nous n'en sommes que très peu convaincues.

Les registres de langue sont marqués par des différences de vocabulaire, de prononciation et de grammaire.

LE VOCABULAIRE		
Familier	**Standard**	**Soutenu**
Emploi de mots moins précis : mots familiers, anglicismes, termes populaires, mots tronqués (prof, super, etc.). Les mots appartenant à ce registre sont signalés en général dans les dictionnaires par l'abréviation *fam.*	Emploi de mots précis, courants.	Emploi de mots riches, recherchés, et d'associations de mots inhabituelles.
Exemples : chialer, rouspéter, râler estomaqué	**Exemples :** protester indigné	**Exemples :** réclamer outré
Le spectacle que je te parle est super le fun.	Le spectacle dont je te parle est très amusant.	Le spectacle au sujet duquel je te fais part de mes commentaires est bien amusant.

LA PRONONCIATION		
Familier	**Standard**	**Soutenu**
Prononciation relâchée. Effacement, remplacement de sons : chus/ch'uis **t'**auras **A** l'a appelé. Ajout de sons : Ça **l'**a l'air que…	Prononciation soignée. Certaines voyelles peuvent être effacées : **j'**suis **t'**auras **Elle** l'a appelé. Pas d'ajout de sons : Cela a l'air que…	Prononciation très soignée. L'effacement des voyelles n'est pas accepté : **je** suis **tu** auras **Elle** l'a appelé. Pas d'ajout de sons : On dirait que…

LA GRAMMAIRE		
Familier	**Standard**	**Soutenu**
Nombreux écarts aux règles de grammaire.	Les règles de grammaire sont respectées.	Les règles de grammaire sont respectées.
Omission de l'adverbe de négation ***ne*** : Tu m'écoutes pas.	Emploi de l'adverbe de négation ***ne*** : Tu **ne** m'écoutes pas.	Emploi de mots de négation autres que ***pas*** : Tu **ne** m'écoutes **point/guère**.
Emploi de ***-tu*** après le verbe pour poser une question : Tu viens-**tu** ?	Emploi de ***est-ce que*** ou ***est-ce qu'*** pour poser une question : **Est-ce que** tu viens ?	Emploi de l'inversion du pronom sujet pour poser une question lorsque le sujet est exprimé par un pronom personnel à la 3e personne : **Vient-il** ?
Emploi de ***c'est qui/que*** pour encadrer un marqueur d'interrogation : **C'est** quand **qu'**ils arrivent ?	Marqueur d'interrogation + ***est-ce que/qu'*** : **Quand est-ce qu'**ils arrivent ?	Marqueur d'interrogation + inversion du pronom sujet : **Quand arrivent-ils** ?
Conjugaison incorrecte de verbes : Vous **disez** pas la vérité.	Conjugaison correcte des verbes : Vous ne **dites** pas la vérité.	Conjugaison correcte des verbes : Vous ne **dites** point la vérité.
Emploi de l'auxiliaire ***avoir*** au lieu de l'auxiliaire *être* : J'**ai** tombé en pleine rue.	Emploi correct des auxiliaires : Je **suis** tombée en pleine rue.	Emploi correct des auxiliaires : Je **suis** tombée en pleine rue.
Emploi du **futur proche** : On **va quitter** le pays à la fin de l'école. On **va retourner** chez nos parents.	Alternance de **futur proche** et de **futur simple** : Nous **allons quitter** ce pays à la fin de nos études. Nous **retournerons** auprès de nos parents.	Emploi du **futur simple** : Nous **quitterons** ce pays à la fin de nos études. Nous **retournerons** auprès de nos parents.
Phrases incomplètes : Faut pas l'chicaner. Pauv'lui, down au boutte. Son char part pas. Fait que… fini le party.	Phrases complètes, pas d'ellipses : Il ne faut pas le réprimander. Pauvre de lui, il est très déprimé. Sa voiture ne démarre pas, alors il va manquer la fête.	Phrases complexes, emploi fréquent de phrases subordonnées : Il ne faut pas le semoncer, car il est déjà en proie à une mélancolie profonde. Son automobile ne démarre pas ; ainsi, sa tentative d'aller à la fête va-t-elle échouer.

La plupart des dictionnaires généraux de la langue et des dictionnaires de synonymes indiquent entre parenthèses le registre des mots. Les mots du registre courant n'ont pas de mention spéciale. Le registre familier est marqué par *(fam.)* et le registre soutenu par *(litt.)* ou *(littér.)*. Ces marques d'usage peuvent varier d'un ouvrage à l'autre. Au Québec, *Le Grand Druide des synonymes*, publié chez Québec Amérique, représente une ressource précieuse pour ce qui est des registres de langue.

ANNEXE 2

Stratégies de mémorisation des mots

STRATÉGIES DE MÉMORISATION DES MOTS	
Stratégies	**Exemples**
Observer les particularités du mot : signes orthographiques, consonnes doubles, lettres muettes.	un h**é**ros, un proc**è**s, une héro**ï**ne, un cr**â**ne, un h**ô**pital, le so**mm**eil, di**ff**ére**mm**ent, le cou**p**, prom**pt**, remerci**e**ment
Comprendre la formation d'un mot.	désambigüisation (dés + ambigüisation) extraparlementaire (extra + parlementaire) maniacodépressif (maniaco – maniaque + dépressif)
Recourir à la forme féminine du mot.	confu**s** – confu**s**e, cour**t** – cour**t**e, ra**s** – ra**s**e, ba**s** – ba**ss**e
Associer un mot à d'autres mots de forme semblable.	la s**œ**ur, le ch**œ**ur, la ranc**œ**ur, le c**œ**ur, les m**œ**urs
Grouper les mots présentant des caractéristiques communes.	disp**os** – le d**os**, le rep**os**, le prop**os** Mais : le dép**ôt** – l'entrep**ôt**, t**ôt**, l'imp**ôt**, tant**ôt** la b**oue** – la j**oue**, la m**oue**, la r**oue**, la pr**oue**, la gad**oue** Mais : le caill**ou** – le gen**ou**, le hib**ou**, le bij**ou**, le ch**ou**, le cl**ou** abando**nn**er – abando**nn**er rayon – rayo**nn**er, rayo**nn**ement proportion – proportio**nn**er, proportio**nn**el Mais : nation – natio**n**al patron – patro**n**at, patro**n**age
Retenir des règles d'orthographe.	• Il n'y a pas d'élision devant un ***h*** aspiré. **Exemple :** C'est un endroit où **la h**iérarchie est respectée. • Le ***c*** prend une cédille seulement devant les voyelles ***a***, ***o***, ***u***. **Exemples :** le gla**ç**age, il re**ç**oit, le re**ç**u
Se référer à d'autres mots de la même famille.	le plom**b** – un plom**b**ier blan**c** – blan**c**hir le respe**ct** – respe**ct**er le hasar**d** – hasar**d**er un poin**g** – une poi**g**née un sourci**l** – sourci**ll**er un cam**p** – cam**p**er, un cam**p**ing un siro**p** – siru**p**eux un intru**s** – une intru**s**ion l'univer**s** – univer**s**el un quar**t** – un quar**t**ier un comba**t** – comba**tt**re, un comba**tt**ant
Faire attention aux exceptions.	un abri – s'abri**t**er, un ju**s** – ju**t**eux, un intérê**t** – intére**ss**er
Tenir compte du contexte pour distinguer les homophones.	Il est moniteur dans un **camp** de jour. **Quand** il fera nuit, la musique cessera. **Quant** à toi, tu devrais te lever plus tôt.
Faire une liste de mots usuels n'obéissant à aucune règle.	alors, lors, lorsque, dès lors, hors, dehors, tôt, sitôt, aussitôt, dorénavant, davantage, auparavant, parmi, désormais, guère, naguère, gré, malgré, toutefois, quelquefois, volontiers, certes, dessus, au-dessus, longtemps, exprès, envers

ANNEXE 3 Stratégies de révision et de correction

Stratégies de révision d'un texte

- Prévoir assez de temps pour le réviser.
- Effectuer plusieurs lectures du texte.
- Pendant chaque lecture, se concentrer sur un seul aspect à vérifier.
- Autant que possible, commencer par les aspects qui concernent le contenu et l'organisation du texte, puis progresser vers les phrases et les mots.
- Souligner les erreurs dont on est certain et celles qui sont à vérifier.

Démarche générale

Aspect à vérifier	Étapes à suivre	Ressources à utiliser
Le contenu du texte (CT)	• Vérifier que le texte est conforme au type de texte demandé. • S'assurer que les idées, les informations et le déroulement des évènements sont liés au sujet.	Feuille de consignes Plan du texte Grille de révision
L'organisation du texte (OT)	• Vérifier que le texte est bien structuré en paragraphes. • Vérifier que les marqueurs de relation sont bien choisis.	Plan du texte *Les marqueurs de relation*, p. 36 Dictionnaire de langue
La structure des phrases (S)	• Repérer tous les verbes conjugués et les encercler. • Enrichir les groupes de mots en ajoutant des expansions lorsque c'est approprié. • Vérifier que les verbes sont employés avec les bons compléments (complément direct ou indirect). • Vérifier que les verbes sont employés avec les bonnes prépositions. • S'assurer de la présence de toutes les marques de négation. • Vérifier que les temps de verbes respectent les règles de la concordance des temps.	Guide de conjugaison Dictionnaire de langue Grammaire Guide de conjugaison Dictionnaire de langue *La négation*, p. 59 *La concordance des temps*, p. 56
La ponctuation (P)	• S'assurer qu'il n'y a pas de virgule entre le sujet et le prédicat ni entre le verbe et ses compléments. • S'assurer qu'il n'y a pas de virgule devant *et*, *ou*, *ni*, s'ils sont utilisés moins de trois fois. • S'assurer qu'il y a une virgule après un CP placé en début de phrase. • S'assurer qu'il y a une virgule après chaque élément d'une énumération, sauf avant le dernier lorsqu'il est introduit par une conjonction de coordination (*ou*, *et*). • Vérifier la ponctuation dans les citations (le deux-points, les guillemets, les crochets).	*La ponctuation*, p. 47 *Introduire une citation*, p. 166
Les groupes du nom (GN)	• Souligner les noms. • Mettre entre crochets [ ] les groupes du nom (GN). • Indiquer le genre et le nombre au-dessus du noyau du GN. • S'assurer que les déterminants et les adjectifs (ou les participes passés employés seuls) sont bien accordés en genre et en nombre avec le noyau du GN.	*Méthode d'autocorrection des GN et des GV*, p. 160 Grammaire

Aspect à vérifier	Étapes à suivre	Ressources à utiliser
Les groupes du verbe (GV)	• Encercler les verbes conjugués. • Encadrer les GN par *c'est… qui* ou *ce sont… qui* pour repérer le sujet. • Remplacer le GN sujet par un pronom. • Relier par une flèche ce pronom au verbe conjugué. • Vérifier que le verbe est accordé en nombre et en personne avec ce pronom. • Porter une attention particulière au son *-é* : – *er* (verbe à l'infinitif) ; – *é* (participe passé des verbes en *-er*) ; – *ez* (verbes conjugués à la 2e personne du pluriel). • S'assurer que l'accord du participe passé est bien fait avec le sujet si le verbe est conjugué avec l'auxiliaire *être*. • S'assurer que l'accord du participe passé est bien fait avec le complément direct du verbe si celui-ci est placé avant le verbe conjugué avec l'auxiliaire *avoir*.	Guide de conjugaison *Méthode d'autocorrection des GN et des GV*, p. 160 Grammaire
L'orthographe d'usage (O)	• Encercler les homophones et faire les manipulations nécessaires pour vérifier l'orthographe. • Vérifier tous les mots dont on n'est pas certain de l'orthographe dans le dictionnaire. • Tracer clairement les accents et les traits d'union. • Vérifier si certains mots doivent prendre une majuscule.	*Les homonymes* p. 17 Dictionnaire de langue Logiciel de traitement de texte
Le vocabulaire (V)	• Remplacer les mots qui sont répétés fréquemment par des synonymes. • Remplacer les mots généraux ou vagues par des termes plus précis ou plus justes. • Remplacer les anglicismes par les termes français corrects.	*Améliorer son vocabulaire*, p. 2 Dictionnaire de langue Dictionnaire de synonymes Dictionnaire d'anglicismes Logiciel de traitement de texte

Méthode d'autocorrection des GN et des GV[1]

1 Souligner les noms.

Exemple : Les filles débrouillardes de l'équipage trient le matériel avec soin.

2 Mettre entre crochets [ ] les groupes du nom.

Exemple : [Les filles débrouillardes] de [l'équipage] trient [le matériel] avec [soin].

3 Indiquer le genre et le nombre au-dessus du noyau des GN et s'assurer que les déterminants et les adjectifs sont accordés en genre et en nombre avec le noyau des GN.

Exemple : [Les filles (fém. plur.) débrouillardes] de [l'équipage (masc. sing.)] trient [le matériel (masc. sing.)] avec [soin (masc. sing.)].

4 Encercler les verbes conjugués.

Exemple : [Les filles (fém. plur.) débrouillardes] de [l'équipage (masc. sing.)] (trient) [le matériel (masc. sing.)] avec [soin (masc. sing.)].

5 Surligner le groupe du nom ou le pronom auquel on peut ajouter les expressions *c'est… qui* ou *ce sont… qui*.

Exemple : [[Les filles (fém. plur.) débrouillardes] de [l'équipage (masc. sing.)]] (trient) [le matériel (masc. sing.)] avec [soin (masc. sing.)].

1 Source : Louise Archambault et Maria Popica, *Le condensé*, Montréal, CEC, 2014, p. 127.

6 **Remplacer le groupe du nom par un pronom.**

Exemple : [[Les filles débrouillardes] de [l'équipage]] (trient) [le matériel] avec [soin].

Elles → Les filles débrouillardes (fém. plur.) ; l'équipage (masc. sing.) ; le matériel (masc. sing.) ; soin (masc. sing.)

7 **Relier ce pronom au verbe conjugué et faire l'accord.**

Exemple : [[Les filles débrouillardes] de [l'équipage]] (trient) [le matériel] avec [soin].

Elles → trient ; fém. plur. ; masc. sing. ; masc. sing. ; masc. sing.

Grille de révision

Contenu (CT) et organisation du texte (OT)

- ☐ Titre choisi en lien avec le contenu du texte
- ☐ Contenu du texte clair, aspects et sous-aspects développés de manière logique
- ☐ Texte bien structuré : parties évidentes, découpage en paragraphes bien fait
- ☐ Marqueurs de relation bien choisis

Fonctionnement de la langue

Structure des phrases (S)

- ☐ Présence d'un verbe conjugué dans chacune des phrases
- ☐ Ordre des mots
- ☐ Emploi des bonnes prépositions
- ☐ Emploi du *ne* de négation, au besoin
- ☐ Concordance des temps de verbes

Ponctuation (P)

- ☐ Emploi interdit de la virgule entre le sujet et le prédicat, et entre le verbe et ses compléments
- ☐ Détachement par une virgule du CP placé en tête de phrase
- ☐ Virgule dans les énumérations et devant *et*, *ou*, *ni*, s'ils sont utilisés plus de deux fois
- ☐ Deux-points, guillemets, crochets dans les citations

Groupe du nom (GN)

- ☐ Marques du genre et du nombre du nom
- ☐ Accord du déterminant avec le nom
- ☐ Accord de l'adjectif et du participe passé employé seul avec le nom
- ☐ Choix du pronom personnel
- ☐ Choix du pronom relatif
- ☐ Accord en genre et en nombre du pronom avec son antécédent

Groupe du verbe (GV)

- ☐ Accord du prédicat avec le sujet
- ☐ Distinction entre le participe passé (*é*), le verbe à l'infinitif (*er*) et le verbe conjugué à la 2e personne du pluriel (*ez*)
- ☐ Accord du participe passé avec le sujet (*être*)
- ☐ Accord du participe passé avec le complément direct qui précède l'auxiliaire *avoir*

Orthographe d'usage (O)

- ☐ Homophones
- ☐ Consonnes doubles, lettres muettes, etc.
- ☐ Accents, traits d'union
- ☐ Majuscules

Vocabulaire (V)

- ☐ Répétitions inutiles
- ☐ Imprécisions
- ☐ Emploi incorrect d'un mot
- ☐ Anglicismes

Exemple de texte révisé et corrigé

Sujet de rédaction

Vous voulez animer l'atelier « Scientifiques en herbe », destiné à des élèves du secondaire. Pour vous assurer d'avoir un grand nombre de participants, vous envoyez à l'école une lettre d'environ 200 mots dans laquelle vous présentez l'importance de la chimie dans notre société.

Texte d'étudiant

Le rôle de la chimie dans la société d'aujourd'hui

La chimie est vraiment important dans la société parce qu'elle peux affecté notre vie de plusieures façons : elle aide de protéger l'environment et d'augmenter les connaissances des êtres humain.

Premièrement, la chimie est utilisé pour dévelopé des manières de protegé l'environment. Par example les scientistes ont dévelopé la voiture hybride. Cette voiture utilise pas un carburant comme les voitures d'aujourd'hui qui émitent de gaz à effets de serres. Alors les scientistes ont dévelopé des voitures électrique qui émitent pas de gaz à effets de serres, ce qui nous permettons de respirer un air plus propre.

En deuxième lieu les humains obtiennent de la connaissance grâce à la chimie. Par example la découverte du radium par la scientiste Marie Curie a permi le dévelopment du traitement du cancer. La chimie contribue donc à l'amélioration de la santé des êtres humain et de leurs esprit.

En conclusion, la chimie est vraiment important dans notre vies. Elle peux être utilisé pour protéger l'environment par le dévelopment des technologies et elle contribue à la croissance de la connaissance des humains. Elle est importante mais c'est la façon qu'on l'utilise qui aide a changer le monde.

Brouillon annoté et corrigé

Le rôle de la chimie dans la société d'aujourd'hui

La chimie est vraiment importante (GV) dans la société contemporaine (S) parce qu'elle peu~~x~~t (GV) ~~affectéer~~ (GV) influencer (V) notre vie de plusieur~~e~~s (O) façons: elle aide ~~de~~ à (S) protéger l'environnement (O) et ~~d'~~ à (S) augmenter les connaissances des êtres humains (GN).

Premièrement, la chimie est utilisée (GV) pour ~~développéer~~ (GV) trouver (V) de~~s~~ (GN) nouvelles (S) manières de protég~~é~~er (GV) l'environnement (O). Par ex~~a~~emple (O), (P) les ~~scientistes~~ scientifiques (V) ont ~~développé~~ inventé (V) la voiture hybride. Cette voiture n'(S) utilise pas ~~un~~ de (S) carburant comme les voitures d'aujourd'hui qui ~~émitent~~ émettent (O) ~~de~~ des (S) gaz à effet~~s~~ de serre~~s~~ (GN). Alors, (P) les ~~scientistes~~ scientifiques (V) ont ~~développé~~ créé (V) des voitures électriques (GN) qui n'(S) ~~émitent~~ émettent (O) pas de gaz à effet~~s~~ de serre~~s~~ (GN), ce qui nous permet~~tons~~ (GV) de respirer un air plus propre.

~~En deuxième lieu~~ Deuxièmement (OT), (P) les humains ~~obtiennent~~ approfondissent (V) ~~de la connaissance~~ leurs connaissances (V) grâce à la chimie. Par ex~~a~~emple (O), (P) la découverte du radium par la ~~scientiste~~ scientifique (V) Marie Curie a permis (GV) ~~le développement~~ la découverte (V) du traitement du cancer. La chimie contribue donc à l'amélioration de la santé des êtres humains (GN) et de leur~~s~~ (GN) esprit.

En conclusion, la chimie est vraiment importante (GV) dans notre vie~~s~~ (GN). Elle peu~~x~~t (GV) être utilisée (GV) pour protéger l'environnement (O) par le développement (O) des technologies et elle contribue à ~~la croissance~~ l'enrichissement (V) ~~de la~~ des connaissances (GN) (du savoir) (V) des humains. Elle est importante, (P) mais c'est la façon ~~qu'~~ dont (S) on l'utilise qui aide ~~a~~ à (O) changer le monde.

ANNEXE 4 Stratégies de recherche documentaire

Avant d'écrire un texte, il est nécessaire de se documenter, c'est-à-dire de consulter divers documents pour y recueillir des informations sur le sujet choisi. Ce travail se fait en plusieurs étapes.

Les étapes de la recherche documentaire

1. Cerner **le but** de la recherche (pourquoi j'ai besoin de me renseigner ?).
2. Cerner **le sujet** et les informations à rechercher.
3. Consulter des sources **variées** et **fiables** (encyclopédies, dictionnaires, livres, revues spécialisées, Internet, etc.). Privilégier les documents **récents**. (Voir *Reconnaitre une source fiable dans Internet*, p. 164).
4. Utiliser des *stratégies* pour trouver plus facilement les informations recherchées.
   - Dans les livres et les revues, s'aider des **tables des matières** et des **index** pour mieux repérer les informations.
   - Dans Internet, utiliser différents **moteurs de recherche** pour trouver plus facilement les informations recherchées.

   (Voir *Faciliter sa recherche dans Internet*, p. 164).
5. Lire attentivement, retenir les informations intéressantes, prendre des notes. Ne pas copier les phrases telles quelles, mais les reformuler dans ses propres mots.
   - Si on cite des passages, les mettre entre guillemets et en indiquer la source.
6. Sélectionner uniquement les informations qui répondent aux besoins de la recherche.
7. Faire des tableaux ou des schémas pour mettre de l'ordre dans les informations et les regrouper par aspects (utiliser la grille d'évaluation des documents consultés fournie sur le CECplus.). Comparer l'information recueillie avec celle provenant des autres sources.
8. Constituer une bibliographie des documents consultés.

Grille d'évaluation des documents consultés

Titre : ______

Auteur : ______

Source : ______

Idées principales retenues	Exemples, citations illustratives
Ce texte est-il en lien avec un autre de mes textes ?	☐ Oui Le(s)quel(s) ? ______ ☐ Non
Ce texte présente-t-il un point de vue similaire à celui présenté dans un autre texte ?	☐ Oui Au(x)quel(s) ? ______ ☐ Non
Ce texte présente-t-il un point de vue opposé à celui présenté dans un autre texte ?	☐ Oui Au(x)quel(s) ? ______ ☐ Non
Ce texte complète-t-il l'information contenue dans un autre texte ?	☐ Oui Le(s)quel(s) ? ______ ☐ Non

Reconnaitre une source fiable dans Internet

Dans Internet, il faut toujours vérifier l'adresse du site consulté.
Privilégier les sites officiels, ceux dont l'adresse se termine par :

- .gouv.ca ; .gc.ca (gouvernement canadien) ;
- .gouv.qc.ca (gouvernement québécois) ;
- .edu (établissement d'enseignement supérieur) ;
- umontreal.ca, ulaval.ca (universités canadiennes) ;
- radio-canada.ca, inrs.ca (institutions canadiennes reconnues).

Les sites dont l'adresse se termine par **.com** ou **.biz** sont des sites commerciaux, qui offrent des services de recherche mais en profitent pour faire de la publicité. Les informations recueillies sur ces sites ne sont pas toujours fiables et doivent être attentivement vérifiées.

Les sites dont l'adresse se termine par **.org** (organisme) sont à vérifier attentivement aussi, car depuis quelque temps n'importe qui peut se créer un tel site.

Les pages personnelles (exemple : perso.andre.martin), les blogues, les forums de discussion sont à éviter, car peu fiables.

Pour s'assurer de la fiabilité des renseignements obtenus, il faut s'informer sur l'auteur du site (particulier, organisme officiel, revue). Si l'auteur n'est pas nommé, la fiabilité du site est trop faible pour pouvoir l'utiliser.

Faciliter sa recherche dans Internet

Un outil de recherche indispensable dans Internet est le **moteur de recherche**.

Exemples de moteurs de recherche :

- Google (général)
- Yahoo (général)
- Google scholar (universitaire)
- Flickr (spécialisé en photos)

Les moteurs de recherche « lisent » toutes les pages Web et les classent en fonction des mots contenus dans la page.
Pour rendre la recherche efficace, il est important de :

- Savoir choisir des **mots clés** pertinents et précis qui seront contenus dans le texte de la page recherchée.
- Écrire entre guillemets anglais les termes de recherche.
- Utiliser des caractères minuscules pour ne pas limiter la recherche, l'utilisation des minuscules permettant de repérer à la fois les termes écrits avec des majuscules ou des minuscules.
- Éviter les déterminants dans la mesure du possible et les mots fourre-tout comme « impact », « influence », « cause », « effets », « conséquences ».

  Exemples :

  - Pour rechercher la liste des pays touchés par le virus Ebola, on peut taper : "pays touchés par Ebola" ou "Ebola" ET "pays touchés".
  - Pour faire une recherche sur les conséquences de l'usage d'Internet sur le cerveau des humains, on peut taper "usage Internet" ET "cerveau".

- Établir des liens entre les termes de recherche en utilisant les opérateurs logiques ***ET***, ***OU***, ***SAUF***.
  - L'opérateur ***ET*** exige que tous les termes inscrits apparaissent dans la page trouvée.

  Exemple :

  Pour faire une recherche sur la prévention de la délinquance juvénile, on peut taper : "prévention" ET "délinquance" ET "jeunes".

  Les pages affichées contiendront le mot « prévention », le mot « délinquance » et le mot « jeunes ».

– L'opérateur ***OU*** exige que l'un ou l'autre des termes inscrits apparaisse dans la page trouvée.

Exemple :

Pour faire une recherche sur les traitements de la maladie d'Alzheimer, on peut taper : "traitement" OU "thérapie" ET "Alzheimer".

– L'opérateur ***SAUF*** exige que les pages ayant le terme inscrit soient exclues des résultats.

Exemple :

Pour faire une recherche sur les conséquences de la crise économique sur le continent américain, en excluant les États-Unis, on peut taper : "crise économique" SAUF "États-Unis".

- Remplacer les mots clés par des synonymes ou des termes proches.

  Exemple :

  Si la recherche portant sur l'impact des nouvelles technologies sur l'apprentissage des jeunes ne donne pas de résultats satisfaisants à partir des mots clés "nouvelles technologies" ET "apprentissage" ET "jeunes", remplacer "nouvelles technologies" par "Internet" ou "nouveaux médias".

- Spécifier la langue désirée dans la case permettant de limiter la recherche ou inscrire les termes de recherche en français même dans un outil anglophone, si l'on désire obtenir seulement des ressources francophones.

- Comme chaque moteur présente des particularités de recherche, il est conseillé de consulter la fonction « Aide » de chacun avant de les utiliser.

ANNEXE 5 Les citations

Introduire une citation

Pour introduire une citation dans un texte, il faut suivre certaines règles.
Il existe deux types de citations.

1 La citation textuelle : Les paroles de l'auteur sont reprises telles quelles.

Exemple :

Ray Caplin a commencé sa carrière de cinéaste avec l'aide d'« un Péruvien du nom de Marco Luna qui lui proposa d'être son mentor et qui l'est resté jusqu'à ce jour ».

2 La citation d'idées (paraphrase) : La pensée de l'auteur est reproduite, mais dans d'autres mots que le texte original. Il faut obligatoirement mentionner la provenance du texte dont on s'inspire. On ne met pas de guillemets pour l'encadrer.

Exemple :

Ray Caplin n'a pas commencé sa carrière au cinéma seul. Son mentor Marco Luna, originaire du Pérou, l'a soutenu à ses débuts et l'accompagne encore aujourd'hui.

- La citation textuelle est identifiable par les guillemets qui l'encadrent si elle ne fait pas plus de trois lignes.

  Exemple :

  L'organisme « accorde 400 dollars par opération aux médecins, qui en échange soignent les patients gratuitement ».

- En général, si l'emprunt est coupé du reste de la phrase par un deux-points, le point final est à l'intérieur des guillemets. Après un deux-points, on conserve la lettre majuscule si elle existe déjà dans le texte d'origine.

  Exemple :

  Tout est mis en œuvre pour que l'opération soit un succès : « À Ouagadougou, deux équipes travaillent en flux tendu dans le même bloc opératoire. »

- Si l'emprunt est enchâssé dans la phrase, le point final est à l'extérieur des guillemets.

  Exemple :

  Pour permettre une organisation permanente efficace, « sa femme Louise, également chirurgien, forme une consœur nigérienne ».

- La citation textuelle qui comprend plus de trois lignes est mise en retrait et écrite à simple interligne, sans guillemets.

  Exemple :

  En Afrique, d'immenses enjeux sanitaires sont toujours d'actualité. D'autres problèmes plus chroniques aussi :

  > Au Burkina Faso comme ailleurs en Afrique, naitre avec une fissure labio-palatine, communément appelée bec-de-lièvre, est une tare que les enfants et leurs proches portent leur vie durant. Dans de telles circonstances, corriger une fissure labio-palatine, une intervention rapide en Occident, prend une importance considérable sur le continent noir.

- Lorsqu'on modifie une citation (changement ou ajout), on doit encadrer le passage modifié par des crochets.

  Exemple :

  Une fois l'opération réussie, « l'avenir sera limpide, pour elles et leurs enfants ».

  Une fois l'opération réussie, « l'avenir sera limpide, pour elles [les mères] et leurs enfants ».

- Lorsqu'on coupe un passage dans une citation, on doit remplacer le passage enlevé par des points de suspension entre crochets.

  Exemple :

  L'effort en vaut vraiment la peine car, « comme pour les 65 autres enfants ayant été opérés, dont certains avaient également le palais fendu, le résultat est saisissant ».

  L'effort en vaut vraiment la peine car, « comme pour les 65 autres enfants ayant été opérés, [...] le résultat est saisissant ».

- Lorsqu'il y a une erreur dans la citation, il faut la conserver et la faire suivre par le mot *sic* entre crochets.

  Exemple :

  À l'arrivée du studio ambulant Wapikoni, « le père a dit à l'équipe de terrain qu'il allait leur [*sic*] envoyer son fils, qui ne faisait rien de ses journées ».

  On devrait plutôt lire :

  À l'arrivée du studio ambulant Wapikoni, « le père a dit à l'équipe de terrain qu'il allait *lui* envoyer son fils, qui ne faisait rien de ses journées ».

  Le pronom de reprise *lui* remplace *équipe de terrain.*

Indiquer la source citée

Qu'il s'agisse d'une citation d'idée ou textuelle, il est essentiel d'indiquer la source. Pour indiquer la source d'une citation directement dans le texte, il existe plusieurs façons de faire. En voici quelques-unes.

Notes en bas de page

On peut indiquer la source en bas de page. On place un chiffre en exposant (appel de note) à la fin de la citation. Ce chiffre réfère à une note en bas de page. On y donne alors la référence bibliographique complète en indiquant :

- Le prénom et le nom de l'auteur,
- Le titre du livre en *italique* (ou souligné si écrit à la main),
- Le lieu de publication,
- La maison d'édition,
- La collection, s'il y a lieu,
- L'année de publication,
- La page où apparait le passage cité.

Exemple :

Jean de La Fontaine, écrivain du XVIIe siècle, est passé maitre dans l'art de la fable. *Le Loup et le Chien*[1] a d'ailleurs fait l'objet de nombreuses analyses.

1 Jean de La Fontaine, *Fables Livres I à VI*, Paris, Larousse, 1991, p. 43-45.

- Si la source est utilisée successivement, on ne répète pas la référence complète ; on utilise plutôt l'abréviation *ibid.* Si la page n'est pas la même, on indique *Ibid.* suivi de la nouvelle page.
- Si une autre citation tirée de la même publication revient plus loin et est séparée par d'autres, on utilise, pour un ouvrage, l'abréviation *op. cit.* et on indique la page ; pour un article, on utilise l'abréviation *loc. cit.* et on indique la page.

Auteur-date

La méthode auteur-date consiste à donner le nom de l'auteur (sans le prénom), l'année de publication et la page d'où est tirée la citation, entre parenthèses après la citation.

Exemple :

En plus d'être clown sans frontières, « Guillaume prend part à des spectacles de cirque engagé, de sensibilisation dans les écoles primaires » (Paillé, 2013, p. 1).

- Lorsqu'on donne le nom de l'auteur dans l'introduction de la citation, on ne le répète pas dans la parenthèse.

  Exemple :

  Comme l'explique Paillé, en plus d'être clown sans frontières, « Guillaume prend part à des spectacles de cirque engagé, de sensibilisation dans les écoles primaires » (2013, p. 1).

- Lorsqu'on rapporte les propos d'une personne interrogée par le journaliste qui a écrit l'article, il faut le mentionner dans l'introduction de la citation et ne pas omettre de donner le nom de l'auteur dans la parenthèse qui suit la citation.

  Exemple :

  Guillaume Vermette raconte à propos de son expérience dans le Grand Nord québécois : « Je n'avais jamais vu de ma vie des enfants avec des yeux si vides. » (Paillé, 2013, p. 1)

Œuvres ou extraits précis

Si les passages cités appartiennent tous à un poème ou à un extrait précis, on indique les lignes seulement, directement dans le texte.

- Lorsqu'on cite les vers d'un poème, il faut indiquer le numéro de la ligne entre parenthèses.

  Exemple :

  On présente le loup comme un être maigre, mal nourri qui « n'avait que les os et la peau » (ligne 1).

- Si on cite deux éléments du même vers à la suite, on n'indique le numéro de la ligne qu'une seule fois.

  Exemple :

  Le contraste entre le chien et le loup est rappelé vivement par les mots « attaché » et « courez » (ligne 36) à l'instant où le loup découvre la vérité sur la condition du chien.

- Si on cite deux vers qui se suivent, on les sépare d'une barre oblique dans la même citation.

  Exemple :

  Le loup se surprend à rêver : il « se forge une félicité / Qui le fait pleurer de tendresse. » (lignes 30-31)

- Lorsqu'on tire la citation d'un extrait, on doit indiquer le numéro de la ligne.

  Exemple :

  Quasimodo fait corps avec la cathédrale, « comme le colimaçon prend la forme de sa coquille » (ligne 25).

Bibliographie

Antidote RX [Logiciel], Montréal, Druide informatique, 2012.

ANTONIADÈS, Éléonore et Nathalie BELZILE. *Tout pour écrire... Avec cohérence*, Montréal, Éditions CEC, 2006.

ARCHAMBAULT, Louise et collab. *À mots découverts, français de base*, Montréal, Éditions CEC, 2012.

ARCHAMBAULT, Louise et collab. *À mots découverts, langue française et communication*, Montréal, Éditions CEC, 2011.

ARCHAMBAULT, Louise et Maria POPICA. *Le condensé*, Montréal, Éditions CEC, 2014.

CHARTRAND, Suzanne-G. et collab. *La grammaire pédagogique du français d'aujourd'hui*, Montréal, Graficor, 1999.

COLLECTIF. *Le Petit Robert 2014*, Paris, Dictionnaires Le Robert, 2014.

CONTANT, Chantale. *Grand vadémécum de l'orthographe moderne recommandée : cinq millepattes sur un nénufar*, Montréal, Éditions De Champlain S. F., 2009.

DE VILLERS, Marie-Éva. *Multidictionnaire de la langue française*, Montréal, Éditions Québec Amérique, 2009.

DUPRIEZ, Bernard. *Gradus. Les procédés littéraires (dictionnaire)*, Paris, Éditions 10/18, 1984.

FOREST, Constance et Denise BOUDREAU. *Dictionnaire des anglicismes. Le Colpron*, Montréal, Groupe Beauchemin, 1999.

FOURNIER, Georges-Vincent. *La dissertation*, Montréal, Éditions CEC, 1998.

GÉLINAS, Marie-Claude. *La communication : notions fondamentales*, Montréal, Éditions CEC, 2005.

LAURIN, Michel. *Anthologie de la littérature québécoise*, Montréal, Éditions CEC, 2007.

LESSARD, Jean-Louis. *La communication écrite au collégial*, Sainte-Foy, Éditions Le Griffon d'argile, 1996.

THÉRIEN, Céline. *Anthologie de la littérature d'expression française*, tome 1, Montréal, Éditions CEC, 2013.

TRÉPANIER, Michel et Claude VAILLANCOURT. *La méthodologie de la dissertation explicative*, Laval, Éditions Études vivantes, 2000.

Codes grammaticaux employés

CP	complément de phrase
GV	groupe du verbe
GN	groupe du nom
GPrép	groupe de la préposition
P	Prédicat
S	sujet